economía
y
demografía

MÉXICO: DESARROLLO CON POBREZA

(nueva edición corregida y aumentada)

por

ENRIQUE PADILLA ARAGÓN

siglo
veintiuno
editores

méxico
españa
argentina

siglo veintiuno editores, sa
GABRIEL MANCERA 65, MÉXICO 12, D.F.

siglo veintiuno de españa editores, sa
EMILIO RUBÍN 7, MADRID 33 , ESPAÑA

siglo veintiuno argentina editores, sa
Av. CÓRDOBA 2064 , BUENOS AIRES , ARGENTINA

primera edición, 1969
segunda edición, 1970
tercera edición, 1971
cuarta   edición, 1972
quinta   edición, corregida y aumentada, 1974

ÍNDICE

La primera edición de la obra *México: desarrollo con pobreza* apareció en agosto de 1968; esta quinta edición sale a la luz pública en el primer trimestre de 1974.

La tesis original del libro no ha sido alterada en lo más mínimo; al contrario, se ha fortalecido al examinar la economía de México hasta el año de 1972.

En esta nueva edición se agregó el análisis del producto nacional bruto real *per capita*, que es un indicador del desarrollo que utilizan las Naciones Unidas, el Banco Mundial y otras instituciones. Se obtiene restando, al incremento real del PNB en cada año, el aumento de la población. Por ejemplo, si el PNB subió el 7.5 % en términos reales en 1972 y le restamos el aumento de la población que fue de 3.4 %, obtendremos el PNB real *per capita* que es 4.1 %. En 1934 el incremento del PNB real fue de 6.7 %, el de la población de 1.7 % y el PNB *per capita* real fue de 5.0 %. Pues bien, el PNB *per capita* real muestra en México una tendencia descendente de 1934 a 1972 como puede verse en la gráfica 5 y en el cuadro II.

La nueva política económica que se está poniendo en vigor desde 1970 todavía no ha dado los resultados esperados, porque México tuvo que luchar contra una depresión de origen externo en 1971 y la inflación que está afectando al país desde fines de 1972. Apenas si en el comercio exterior empieza a notarse un pequeño cambio; pero en lo que se refiere a la dependencia de la economía, a su carácter fluctuante, a los numerosos desequilibrios y a la concentración del ingreso en pocas manos, la situación no ha cambiado mucho.

Frente a la mejoría del comercio exterior, hay ciertos hechos que me preocupan profundamente: la desocupación y la pobreza de la población que vive de las actividades primarias, principalmente de la agricultura; el retraso de los salarios en relación con las utilidades, frente a un aumento de precios que ya tiene manifestaciones peligrosas y el endeudamiento externo que ha rebasado la capacidad de pago de la nación.

Tengo la impresión de que los mecanismos correctores de los desequilibrios del desarrollo y de la injusta distribución del ingreso no han sido suficientemente poderosos y que se ha ido demasiado tiempo en el análisis de los problemas y no se toman las decisiones adecuadas para resolverlos en forma definitiva.

Frente a una explosión demográfica que condiciona todos los fenómenos económicos y sociales, las medidas concretas de política económica, que ya se conocen perfectamente, deben ser aplicadas en forma inmediata y sin mayor dilación.

El futuro de México será esplendoroso si el crecimiento económico va acompañado del desarrollo y si tomamos como índice de progreso el bienestar del pueblo.

E. P. A.

Coyoacán, agosto de 1973.

NOTA A LA SEGUNDA EDICIÓN

Atendiendo a observaciones formuladas sobre la forma de efectuar la estimación del desarrollo efectivo de México, debo decir que, aunque esta forma de calcular la tasa de desarrollo muestra algunas limitaciones, se siguió este procedimiento para relacionar el crecimiento del PNB con la población como lo aconsejan algunos autores. Por ejemplo, Meier y Baldwin dicen: "Ninguna definición de desarrollo económico es completamente satisfactoria. Hay una tendencia a usar los términos desarrollo económico, crecimiento económico y cambio secular en forma intercambiable. Aunque es posible lograr ciertas distinciones entre estos términos, son, en esencia, sinónimos. Pero, justamente, podemos preguntarnos, ¿cuál es el contenido que se encuentra detrás del término desarrollo económico? Se puede dar una respuesta concreta como sigue: el desarrollo económico es un proceso en el que el ingreso nacional real de una economía aumenta dentro de un largo período. *Y si la tasa de desarrollo es mayor que la tasa de crecimiento de la población, entonces el ingreso real* per capita *aumentará.*" [El subrayado es nuestro].[1]

Otros autores, como Ortiz Mena y Urquidi, que se han ocupado del desarrollo económico de México, relacionan también el producto neto real con la población como puede verse en seguida: "En México, en el período 1939-1950 hubo una acumulación de capital sin precedente, *pero el incremento de capital quedó en parte contrarrestado por un gran aumento de la población.* Entre 1940 y 1950, el incremento medio anual del producto territorial neto real de 7.2 % produjo una elevación media anual del producto neto *per capita* de 4.5 %.

[1] Meier y Baldwin, *Economic Development, Theory, History, Policy*, John Wiley and Sons, Nueva York, 1957, p. 2.

Como el incremento del producto territorial de 8.2 % anualmente, en el período 1940-1945, pasó a ser de 5.9 % en los años 1946-1950, *el crecimiento de la población redujo* la tasa de incremento del ingreso *per capita* de 5.9 % a 2.9 %." [El subrayado es nuestro].[2]

Debe comprenderse que el cálculo que hemos hecho de la tasa de desarrollo es sólo para disponer de un indicador que, a pesar de sus defectos, responde muy bien para ilustrar la idea fundamental de la obra: que el crecimiento de la economía mexicana registra un debilitamiento en los últimos años. A quien no le satisfaga este indicador, puede observar en forma independiente las tendencias del PNB y de la población. Véase por ejemplo la gráfica 4, donde se registra una tendencia descendente de las tasas de crecimiento del producto nacional bruto, frente a una ascendente de las tasas de crecimiento de la población. En otras palabras, nos indica que el producto nacional bruto no crece a las tasas anuales que debería crecer, frente al aumento de la población. Nadie puede negar que este hecho afecta la tasa de desarrollo, cualquiera que sea la forma como se la calcule. Pero aún hay más. En la gráfica 5 se ha representado la tendencia del incremento anual del ingreso real por habitante y resulta descendente, de 5 % en 1935 a 2 % anual en 1965. En su último informe de 1969, la CEPAL calcula para México una tasa de crecimiento anual del producto por habitante de 1960 a 1969 de 3.6 % que en promedio es inferior a las tasas medias anuales que se registraron de 1940 a 1950 (obsérvese la línea de tendencia en ese período en la gráfica 5). Ortiz Mena y Urquidi, en la obra citada, registran como incremento medio anual del producto territorial real al costo de los factores, *per capita*, de 1940 a 1950, 4.5 % (véase cuadro 7 y nota al pie de la p. 23 de dicha obra). Esta cifra coincide con los cálculos hechos por nosotros.

2 Raúl Ortiz Mena, Víctor L. Urquidi, Albert Waterston y Jonas H. Haralz, *El desarrollo económico de México y su capacidad para absorber capital del exterior*, Fondo de Cultura Económica, México, 1953, pp. 19, 26, cuadro 9: "Movimiento anual de la población".

INTRODUCCIÓN

El propósito de esta obra es demostrar que el desarrollo económico de México debe orientarse hacia el mercado interno, como una salida para cumplir con los principios básicos de justicia social y evitar el estancamiento.

Dos factores poderosos nos obligan a seguir este camino: primero, el fuerte crecimiento de la población que condiciona el desarrollo en todos sus aspectos y la decadencia del comercio exterior que ya no representa la misma fuerza generadora de inversiones. Debemos encontrar una fórmula conciliadora que nos permita ampliar el mercado interno y resolver los graves problemas de desequilibrio externo que se manifiestan en un déficit creciente de la balanza comercial.

Esto nos lleva de la mano a considerar otros tres aspectos que corresponden a medidas de política económica. Para aumentar el mercado interno hace falta en primer lugar que el Estado participe en una mayor proporción del producto nacional bruto.

En vez del 12.4 % que representan en 1970 los ingresos del gobierno federal del producto interno bruto,[1] debe subir al 25 o 30 % en un plazo muy corto, tal vez antes de cinco años, y canalizar dicho gasto no a las grandes inversiones de infraestructura, sino a obras de beneficio social directo que aumenten rápidamente el poder de compra de grandes sectores de la población.

El segundo postulado de política económica que es conveniente sostener es el de redistribuir el ingreso en forma inmediata. Es necesario sepultar para siempre la vieja idea de que la concentración del ingreso aumenta el ahorro y por ende la inversión como un mero proceso automático.

[1] *Informe Anual* del Banco de México, S. A., cuadro 1, p. 65, y Dirección General de Estadística, *Anuario Estadístico Compendiado 1970*, cuadro 15.3, p. 340.

Ni la inversión es un proceso automático, ni en la
misma forma el aumento del ingreso aumenta
el ahorro en los países en desarrollo.

En México la concentración del ingreso se traduce muchas veces en dilapidación y en gastos
suntuarios, porque arriba de cierto nivel, por muchas razones, no se invierten los excedentes.

Y por último, conviene terminar en forma definitiva con la falsa idea de que se debe recorrer
todo el camino del capitalismo para lograr el desarrollo económico. No es fácil superar un siglo
de atraso y una brecha que se abre cada vez más.
Además, una meta de esa naturaleza, de llegar a
ser como los países capitalistas más ricos de la
tierra, está cargada de tristes augurios, ya que
muchos de ellos no han logrado ni la paz social
ni la eliminación total de la pobreza.

Los países en vías de desarrollo, y México en
particular, tienen su propio camino —un camino
más corto— y metas muy claras y precisas, para
lograr el crecimiento del mercado interno y mejorar el nivel de vida de la mayoría de la población mexicana que hasta ahora ha quedado sustraída del progreso general. Debemos seguir nuestro propio camino que nos ha trazado la doctrina
de la Revolución mexicana.

Para ser más concreto y entrar en la perspectiva
histórica, encontramos que la Revolución mexicana surge y se desarrolla justamente en la época
en que el capitalismo llega a su madurez e inicia
su decadencia: en la primera guerra mundial, en
1914. Sería anacrónico que un movimiento como
la Revolución mexicana, con nuevos ideales, con
una distinta concepción del hombre y de la vida,
con postulados vigorosos de justicia social, y que
ahora cuenta ya con una política económica, se
ajustara a viejos moldes ya podridos y que han
sido rechazados por millones de seres humanos.
La Revolución mexicana no puede ni debe orientarse hacia un capitalismo maduro y caduco, cu-
yas limitaciones padece el mundo.

Si la Revolución mexicana lleva a México a ser
un país capitalista "altamente desarrollado", como
todo el mundo dice ahora, mal ha cumplido sus
fines la Revolución.

Industrializar al país no debe significar hacerlo

más capitalista como algunos creen o acrecentar
y fortalecer la propiedad privada, como en realidad está sucediendo, sino aumentar el nivel de
vida de la población en todos sus aspectos, económicos, sociales y políticos, imponiendo a la propiedad privada las limitaciones que exija el interés social.

La obra se divide en dos partes. En la primera
se analizan las características fundamentales del
desarrollo económico durante las últimas tres décadas y media, que constituye el período de la
historia de México en que se han realizado los
mayores progresos, y la segunda apunta los linea-
mientos de una nueva política económica más
congruente con los principios de la Revolución
mexicana. Las cifras utilizadas, cuando ha sido
posible, se han calculado hasta el primer trimestre de 1973 y, en los casos que así conviene, se
usaron las del censo de 1970 y cifras oficiales que
sólo están disponibles hasta 1972.

E. P. A.

Coyoacán, agosto de 1973.

PRIMERA PARTE

CARACTERÍSTICAS FUNDAMENTALES DEL DESARROLLO DE MÉXICO

GRÁFICA 1

PNB per capita, *1970 (en dólares)*

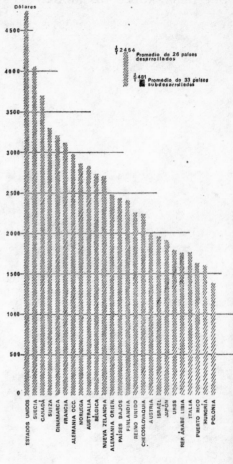

FUENTE: Banco Mundial, *Atlas*.

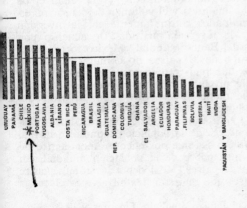

URUGUAY
PANAMÁ
CHILE
MÉXICO
PORTUGAL
YUGOSLAVIA
ALBANIA
LÍBANO
COSTA RICA
PERÚ
NICARAGUA
BRASIL
MALASIA
GUATEMALA
REP. DOMINICANA
COLOMBIA
TURQUÍA
GHANA
EL SALVADOR
ARGELIA
ECUADOR
HONDURAS
PARAGUAY
FILIPINAS
BOLIVIA
NIGERIA
HAITÍ
INDIA
PAQUISTÁN Y BANGLADESH

CAPÍTULO I

LA ECONOMÍA MEXICANA

Como hemos afirmado en la introducción, el análisis del desarrollo económico de México, que haremos en los capítulos sucesivos, nos obliga antes que todo a situar la economía mexicana dentro del concierto mundial de naciones de acuerdo con dos características fundamentales: 1ª por la estructura de su economía y su organización política, y 2ª por el grado de desarrollo económico.

ESTRUCTURA DE LA ECONOMÍA

México en los momentos actuales es un país de economía mixta en el que predomina la inversión privada y su forma típica, la empresa privada con un grado apreciable de intervención del Estado. La llamamos economía mixta porque el nivel de actividad económica y el volumen de ocupación están determinados conjuntamente por la inversión pública y la inversión privada. De acuerdo con las cifras del Banco Mundial,[1] México forma parte de un grupo de 87 países no comunistas subdesarrollados que registran ingresos entre 60 y 1 160 dólares de producto nacional bruto *per capita* a precios de mercado en 1970 y con un promedio de 319 dólares de PNB *per capita* y una población total de 1 774.3 millones de habitantes que representan el 48.5 % de la población mundial a mediados de 1970; o sea que nos encontramos dentro de la mitad más pobre de la población mundial. En ese grupo de países, México puede situarse entre los 21 países que registran las cifras más elevadas

[1] *Atlas* del Banco Mundial, "Finanzas y desarrollo", marzo de 1973.

entre 400 y 1 600 dólares de PNB *per capita* y con un promedio de 678 dólares de PNB *per capita*. Compárense estas cifras con las que registran los 21 países no comunistas desarrollados que representan el 17.3 % de la población mundial, o sea 635.1 millones de habitantes, y que disfrutan de un PNB *per capita* de 2 650 dólares anuales.

El producto interno bruto por habitante alcanzó la cifra de 370 dólares en América Latina en 1965, o sea mucho más que en África con 140 dólares y Asia con 110 dólares.[2]

De acuerdo con cifras del Banco Mundial, en el *Atlas* citado, sobre 122 países, en cuanto al producto nacional bruto *per capita* México está colocado debajo de 40 países. Estados Unidos y Suecia rebasan los 4 000 dólares de PNB *per capita* y Canadá, Suiza, Dinamarca y Francia los 3 000. En cuanto al monto total de la población, México, con 50 670 000 habitantes a mediados de 1970, está después de 13 países. En lo que se refiere a la tasa de crecimiento anual de la población, México está entre los 5 países del mundo cuya tasa crece más aprisa. Su población creció a una tasa media anual de 3.5 % en la década 1960-70. La misma tasa registraron Venezuela, Irak, Jordania y Nicaragua.

Comparemos ahora la tasa de crecimiento de la población y del PNB de algunos países ricos con la de México y la de otros países pobres. Japón, durante la última década, aumentó su PNB a una tasa media anual de 10.6 % y su población a una tasa media del 1 %, por lo mismo registró un incremento del PNB *per capita* del 9.6 % anual; la República Federal de Alemania aumentó su PNB en el mismo período en un 4.5 % anual y su población en 1 %, el PNB *per capita* en 3.5 % anual; los Estados Unidos, 4.4 % el PNB, la población 1.2 % y el *per capita* 3.2 %; Suecia 4.5 % el PNB, población 0.7 % o sea un aumento del PNB *per capita* de 3.8 % anual debido al pequeño incremento de la población.

Los países en desarrollo tienen que registrar mayores incrementos del PNB para poder absorber el fuerte aumento de su población. Turquía regis-

[2] Véase *Estudio económico de América Latina, 1971*, p. 31.

tró en 1970 una tasa de 6.4 % de aumento anual en su PNB, la población subió un 2.5 % y por lo tanto la tasa del PNB *per capita* fue de 3.9 % anual. En cambio Brasil y México registraron menor desarrollo por el creciente aumento de la población. El primero registró un aumento del PNB de 5.3 %, pero la población creció 2.9 %, por lo tanto, el PNB *per capita* aumentó 2.4 %. El PNB de México creció 7.2 % en 1970 según las cifras del Banco Mundial, la población registró un aumento de 3.5 % en el mismo año, por lo mismo el PNB *per capita* subió en 3.7 %.

EL GRADO DE DESARROLLO

Es interesante considerar en qué grado de desarrollo nos encontramos en la actualidad en comparación con los países más adelantados. De acuerdo con Kuznets, si tomamos en cuenta como indicador base para medir el desarrollo de un país el índice de la participación de la agricultura en la población económicamente activa, que en México es de 39.5 % en 1970, el país se encuentra en forma aproximada en el nivel de desarrollo en que se encontraba Francia en 1876 (40.3 %); Dinamarca en 1910 (41.5 %); Noruega en 1905 (39.4 %); Suecia en 1900 (41.5 %); Italia en 1931 (40.6 %); Canadá en 1921 (39.0 %). Es decir, que casi todos los países de Europa occidental y nórdica en 1900 tenían prácticamente un mayor desarrollo económico que el que tiene actualmente México.

Si comparamos el desarrollo económico actual de México con los países que primero se desarrollaron, no alcanzamos todavía el desarrollo de Gran Bretaña en 1831 (25 %); de Bélgica en 1880 (24 %); de Suiza en 1880 (33 %) y de los Países Bajos en 1899 (28 %).[3]

En relación con Estados Unidos, cuyo desarrollo es más reciente, no alcanzamos todavía el desarrollo económico que este país tenía antes de la gran depresión de 1932 (1923-1927), ya que para

[3] Kuznets, *Crecimiento económico de posguerra*, UTEHA, México, 1964, tabla 5, p. 78.

entonces la contribución de la agricultura representaba el 11.7 del ingreso total (la misma cifra para México es 11.6 % en 1971). La población dedicada a la agricultura era de 40.2 % en 1920 para aquel país. En México, como hemos dicho, tenemos un 39.5 % en 1970.

En relación con América Latina, México ocupa un lugar destacado en su grado de desarrollo si tomamos como criterio el producto nacional bruto por habitante, ya que para 1970 sólo mostraban cifras mayores Argentina, Venezuela, Uruguay, Panamá y Chile. En cambio el de México era mayor que el de Colombia, Costa Rica, Brasil, Perú, Nicaragua, Guatemala, El Salvador, Ecuador, Honduras, Paraguay y Bolivia (véase la gráfica 1).

Si tomamos como criterio para medir el grado de desarrollo económico de México otros indicadores, como el producto bruto agrícola como porcentaje del producto bruto total, la población activa agrícola como porciento de la población activa total, el número de tractores por 1 000 hectáreas de superficie arable y la producción de kvh *per capita*, vemos que el país debe situarse entre los cuatro países más adelantados de América Latina: Argentina, Brasil, Chile y Venezuela.

Según cifras del Banco Mundial publicadas en marzo de 1973 [4] el producto nacional bruto *per capita* en 1970 de México era de 670 dólares y su posición entre 26 países desarrollados y 33 países subdesarrollados puede verse en la gráfica 1. Se observa la posición relevante de Estados Unidos y Suecia con más de 4 mil dólares *per capita*, de Canadá, Suiza, Dinamarca y Francia con más de 3 mil dólares *per capita* y, entre los países menos desarrollados, México sólo está abajo de 7 países: Argentina, Grecia, España, Venezuela, Uruguay, Panamá y Chile, y se encuentra arriba de 25 países de los 33 considerados.

Las cifras anteriores nos llevan a establecer las siguientes conclusiones: México por su desarrollo económico forma parte de un grupo de países subdesarrollados que se encuentra dentro de los 1 329 millones de habitantes que habitan en los países no comunistas subdesarrollados y que constituye

4 Banco Mundial, *op. cit.*, p. 27.

el 46.1 % de la población mundial; por el grado de desarrollo o más bien por la etapa de desarrollo en que nos encontramos, México muestra más de medio siglo de atraso con relación a Estados Unidos, Inglaterra y Francia. De acuerdo con W. W. Rostow,[5] México inició la etapa del "impulso inicial" del crecimiento económico el año de 1940, al igual que Turquía y Argentina, y deberá recorrer 60 años para que el país llegue a la etapa de madurez, o sea al año 2000, y a la que llegaron Estados Unidos, Francia y Alemania entre 1900 y 1920 e Inglaterra entre 1840 y 1860.[6]

Por lo mismo, si México sigue los caminos tradicionales que hasta ahora ha mostrado en su desarrollo económico, que son los del crecimiento capitalista de los países ya maduros, como los que se han mencionado antes, y si damos por buena la afirmación de Rostow tendríamos que esperar 60 años para que México llegara a los niveles de desarrollo que los principales países capitalistas alcanzaron antes de la primera guerra mundial.

La única manera de que México logre recorrer en una o dos generaciones el camino que los países maduros recorrieron en 100 años es utilizando una nueva política económica que amplíe a su máximo el mercado interno y acelere la tasa de desarrollo, abandonando los viejos sistemas del capitalismo del siglo pasado.

Para ello será conveniente aprender las lecciones de casi tres décadas y media de crecimiento y desarrollo económico que hemos vivido desde 1934 a la fecha (1973) y que examinaremos en seguida.

---

[5] *Las etapas del crecimiento económico*, cuadros de las pp. 12 y 22.

[6] Claro que estas clasificaciones y comparaciones internacionales del grado de desarrollo en que nos encontramos deben tomarse con todas las reservas del caso, y no tienen más finalidad que dar una idea muy general del progreso que hemos alcanzado y de lo que nos falta por alcanzar.

CAPÍTULO II

LA EXPERIENCIA DE LAS ÚLTIMAS
TRES DÉCADAS Y MEDIA

Si hacemos un detenido análisis del desarrollo económico de México en las últimas tres décadas y media, digamos a partir del régimen cardenista, o sea del año de 1934, observaremos que dicho desarrollo registra aceleraciones y retrasos, encontrando períodos de un vigoroso impulso y otros de verdadero estancamiento, pero lo que destaca principalmente y despierta preocupaciones es que la tasa de desarrollo va de más a menos mostrando una tendencia claramente descendente en el período señalado de 1934 a 1973.

Hay varias explicaciones que pueden aclarar este fenómeno; pero a mi juicio son tres los factores más importantes que merecen un análisis detallado: el fuerte aumento de la población, el lento crecimiento del mercado interno por el retraso de la agricultura con relación a la industria y el papel menos dinámico que desempeña el comercio exterior en la economía mexicana.

Podríamos afirmar que después de treinta y cinco años de desarrollo económico la economía de México ofrece esta perspectiva en los momentos actuales: una tasa de crecimiento del producto nacional bruto con tendencia descendente, que se enfrenta a una tendencia ascendente de la población y que condiciona en forma definitiva todo el desarrollo; un crecimiento lento de la agricultura, la ganadería y la minería, que por ser los sectores donde se genera el ingreso de más de la mitad de la población, representa el principal obstáculo del desarrollo porque el mercado interno no crece al mismo paso que el de la producción industrial; un desarrollo menos dinámico del comercio exterior motivado principalmente por factores externos ya que las exportaciones básicas de

[23]

México tropiezan con grandes problemas de mercado exterior y de precios, mientras que el ritmo interno de desarrollo económico le impone un volumen determinado de importaciones que son realmente imperativas.

Puede afirmarse que el crecimiento industrial es satisfactorio y que la industrialización hasta ahora ha representado la fuerza más poderosa del desarrollo, pero que de no corregirse en plazo breve las fallas que después señalaremos, la industria corre el grave riesgo de enfrentarse a un mercado interno cada vez más reducido y cuyos síntomas ya podemos observar en numerosas fábricas que trabajan muy abajo de su capacidad total.

En cuanto al factor institucional, podemos afirmar que posiblemente sea uno de los elementos que no están desempeñando su debido papel en las condiciones actuales del desarrollo. Si bien es cierto que en las primeras dos décadas, México pudo crear rápidamente las instituciones necesarias para estimular el desarrollo económico, es evidente que en la última década no se han creado las instituciones necesarias para enfrentarse a los problemas que ha generado el mismo desarrollo dentro de un marco de capitalismo mixto con muy poca planificación y sometido casi enteramente a las leyes de mercado. La falla se encuentra precisamente en la falta de aquellas instituciones necesarias para redistribuir el ingreso que se ha concentrado en los sectores de la población más prósperos y más beneficiados por el desarrollo en perjuicio de los grandes sectores donde apenas llegan los beneficios del progreso. Las instituciones que faltan se relacionan en forma directa con la ausencia de una política monetaria y fiscal adecuada para redistribuir el ingreso en forma más enérgica y captar los recursos necesarios para que el Estado participe en mayor proporción en el desarrollo económico.

Nadie puede negar en los momentos actuales el crecimiento de la economía mexicana en las últimas tres décadas y media y tampoco puede dejarse de reconocer un cierto desarrollo económico, pero si hemos de cuidar estos aspectos tenemos que aceptar con honestidad que, analizando más a fondo este crecimiento y este desarrollo observamos períodos de la historia contemporánea de México en que a veces se ha registrado puro crecimiento económico sin desarrollo y que tal vez en los últimos años sea ésta la verdadera situación a que nos enfrentamos.

Para tales fines, es inaplazable la adopción de una nueva política de desarrollo económico que se oriente en forma más enérgica y definida hacia el mercado interno creando todos los instrumentos necesarios para ampliar dicho mercado, lo que hará compatible la tasa de desarrollo con la tasa de crecimiento de la población y con el aumento del nivel de vida de la gran mayoría de la población mexicana.

En los siguientes capítulos analizaremos las características básicas del desarrollo económico de México, tal como se presenta en los momentos actuales y que le dan su carácter de dependencia, de ser un desarrollo fluctuante, desequilibrado y concentrador del ingreso.

EL DESCENSO DE LA TASA DE DESARROLLO [1]

Tal como lo hemos afirmado más arriba, en los treinta y cinco años del desarrollo de la economía mexicana, se observa una tendencia a la baja de la tasa de desarrollo.

Con el fin de no cansar al lector, haremos el análisis valiéndonos de gráficas y aquellas personas que deseen completar su información dispondrán de un apéndice estadístico que hemos agregado al fin de la obra.

En la gráfica 2 observamos la tasa de desarrollo del año de 1934 a 1972 y vemos que además de mostrar bruscas oscilaciones, registra en forma evidente una tendencia descendente. Si analizamos el comportamiento de la tasa de desarrollo

[1] La tasa de desarrollo se ha obtenido dividiendo el incremento anual del producto nacional bruto, en términos reales, entre el incremento anual de la población. Las cifras pueden consultarse al final de la obra en el apéndice estadístico. (Sobre el método utilizado, véase la nota a la 2ª edición.)

económico de México en diversos períodos, veremos que el período de mayores tasas está dado por los años 1939 a 1945, que bien sabemos fue provocado por la influencia de la segunda guerra mundial.

En los cinco períodos en que dividimos el desarrollo económico en la gráfica y que se indican por los pequeños triángulos invertidos, los años cúspide de la tasa de desarrollo —1936, 1942, 1950, 1954, 1964 y 1970— muestran niveles cada vez más bajos, al grado que los años de 1964 y 1970, que se consideran años buenos del período más reciente del desarrollo económico, son los más bajos entre los años que marcan los máximos de desarrollo económico.

LA CARRERA DE LA POBLACIÓN LE GANA LA CARRERA AL PRODUCTO NACIONAL BRUTO

La razón de más peso que salta a la vista y que explica la baja de la tasa de desarrollo consiste en el persistente y fuerte aumento de la población que se ha registrado en México de 1934 a 1972, mientras que el producto nacional bruto no muestra, en los últimos años, los vigorosos aumentos que registró hace una década.

Tal fenómeno se observa con evidente claridad en la gráfica 3, donde se representan las tasas de crecimiento anual del PNB en términos reales y las de la población. Como siempre, observamos los fuertes aumentos y disminuciones del PNB que en algunos años no logra crecer ni siquiera a los niveles de aumento de la población —1940, 1947, 1953 y 1959— mientras que esta última muestra un aumento persistente.

Hay una observación de primera importancia que debemos hacer en relación con la población y el PNB que se nota con gran claridad en el período de 1950 a 1972: el fuerte crecimiento de la población alcanza casi el crecimiento del PNB en los años de 1953, 1961 y 1971, mientras que en los primeros períodos del desarrollo económico que comprenden los años de 1934 a 1950, es tan fuerte el crecimiento del producto nacional bruto que, frente a una moderada tasa del crecimiento de la población, se logra obtener una alta tasa de desarrollo.

Se ilustra mejor esta relación entre la tasa de crecimiento del producto nacional bruto y la tasa de crecimiento de la población, en la gráfica 4. Vemos en ella dos tendencias: una descendente, la del crecimiento del producto nacional bruto, y otra ascendente, la del crecimiento de la población. Aquí se ve con toda evidencia cómo se estrecha el área entre la tendencia descendente del crecimiento del producto nacional bruto y la tendencia ascendente del crecimiento de la población, mientras que la tendencia del producto nacional bruto inicia su punto de partida en 6.7 % en 1935, termina en 5.5 % en 1972. En cambio la población se inicia en 1.9 % en 1935 y termina en 3.4 % en 1972. En consecuencia la tendencia de la tasa de desarrollo baja de 2.9 % en 1935 a 1.4 % en 1972.

No cabe duda que en los momentos actuales es imperativo aumentar la tasa de crecimiento del PNB real en México y redistribuir el ingreso, para neutralizar el poderoso crecimiento de la población. Cierto que en la última década (1963-72) el PNB real creció en promedio a una tasa anual de 7.1 %, pero como la población creció a una tasa media anual de 3.5 %, el PNB *per capita* real aumentó el 3.6 % como promedio anual y la tasa de desarrollo fue de 2 % como tasa media anual; mientras que en la primera década de desarrollo económico —1934-43—, con un incremento medio anual del PNB real de 6.3 %, pero con una tasa media anual de aumento de la población menor del 2 %, se obtuvo una tasa media anual de PNB real *per capita* de 4.3 % y una tasa media anual de desarrollo de 3.1 %. En el cuadro III observamos que la tasa media anual de desarrollo y del PNB *per capita* real bajaron mucho en los años de 1971 y 1972, seguramente por la seria depresión que afectó a la economía mexicana en el primer año citado. Igualmente observamos en el mismo cuadro que la tasa de desarrollo y el PNB *per capita* real son mayores en los tres primeros períodos analizados (de 1934 a 1960) que en los últimos tres (de 1961 a 1972).

Si en los próximos años queremos evitar miseria, hay que aumentar la tasa media anual de aumento real del producto nacional bruto por lo menos al 10 %, que ya hemos logrado en los años de 1941, 1942, 1950, 1954 y 1964. Suponiendo que la tasa de aumento de la población se conserva en 3.6 %, que ya es muy alta, se obtendría una tasa de desarrollo de 2.8 % y un PNB *per capita* de 6.4 % que también ya hemos logrado en muchos años anteriores (véase gráficas 2 y 5 y cuadro I).

LAS TASAS DE AUMENTO O DISMINUCIÓN
DEL PNB REAL PER CAPITA

Ya señalamos que el fuerte crecimiento de la población en los últimos 23 años es la causa más importante que ha limitado la tasa de desarrollo de la economía mexicana, arrojando una tasa cada vez menor. Tal afirmación la comprobamos analizando el comportamiento del PNB real *per capita* que se muestra en la gráfica 5 y en los cuadros II y III. En dicha gráfica hemos representado los aumentos o disminuciones del PNB real *per capita* de 1934 a 1972.

En la gráfica se observan dos períodos perfectamente marcados: uno de 1934 a 1950 en que los incrementos anuales del PNB real *per capita* son mayores, ya que en dicho período registró un incremento medio anual de 3.8 %. El otro, de 1951 a 1970, en que los aumentos anuales son menores y tienden a disminuir, registrando una tasa media anual de 3.2 %. En el lapso 1971-72 el PNB real *per capita* se hundió debido a la depresión de 1971 que afectó seriamente a la economía mexicana (véase el cuadro III en el apéndice estadístico).

La disminución del PNB real *per capita* en el segundo período se debe fundamentalmente a que el incremento del PNB en términos reales *no creció* lo suficiente para absorber el fuerte crecimiento de la población que a partir de 1951 registra la tasa anual de 3.1 % y en la actualidad (1973) llega a 3.4 %. El promedio del incremento del PNB real *per capita* en el período 1934-1972 fue de 3.1 %, que no rebasan más de 10 años en los 22 años comprendidos de 1951 a 1972. En cambio en el primer período de 17 años, de 1934 a 1950, en que la tasa anual de crecimiento de la población fue menor, hay 10 años que rebasan el promedio de 3.1 % (véase cuadro II). Como siempre, los años de depresión están marcados por un fuerte descenso del PNB real *per capita*, por ejemplo 1938, 1940, 1949, 1953, 1961 y 1971.

En el primer período, el 58.8 % de los años considerados rebasan el promedio y en el segundo sólo el 45.5 %.

La decadencia del desarrollo se observa mejor si trazamos una línea de tendencia del PNB real *per capita* como puede verse en la gráfica 5. Se observa que dicha tendencia es descendente de 1934 a 1972.

Lo anterior demuestra que, ya sea que tomemos la tasa de desarrollo como la hemos calculado o el PNB real *per capita*, el desarrollo económico de México muestra una clara tendencia descendente.

EL COMERCIO EXTERIOR HA PERDIDO SU VIGOROSA INFLUENCIA

Ya señalamos que una de las poderosas fuerzas que neutralizan el crecimiento de la tasa de desarrollo es el fuerte aumento de la población que crece inexorablemente, mientras el incremento del producto nacional bruto no crece lo suficiente para neutralizar el aumento de la población.

Otros de los factores que han contribuido a hacer más lento el desarrollo económico proviene del comercio exterior. Si analizamos la gráfica 6, donde se representan las exportaciones e importaciones *per capita* desde los años de 1901 a 1972, vemos con claridad el comportamiento del comercio exterior, no sólo en los cinco períodos en que hemos dividido el desarrollo económico de México, sino mucho antes de que se iniciara dicho desarrollo.

El largo período comprendido de 1901 a 1934, en

que prácticamente no hubo desarrollo económico
y México se vio sacudido por los tremendos cambios estructurales de la Revolución mexicana después de la última década de decadencia del régimen porfirista, vemos que el comercio exterior no
rebasa los límites ínfimos de $ 25.00 a $ 50.00 de
exportaciones e importaciones *per capita*; pero a
partir de 1934 las curvas de exportaciones y de importaciones muestran un vigoroso crecimiento.

Dos observaciones de importancia podemos de-
rivar del análisis del comercio exterior con relación al desarrollo económico: la primera se refiere
al saldo de la balanza comercial, que al intensifi-
carse el desarrollo económico se convierte en negativo (ver cuadro IV), abriéndose la brecha cada
vez más en la medida que se acelera dicho desarrollo (véanse gráficas 6 y 7). A partir de 1944, en
que se intensifica el desarrollo, aparecen los saldos
negativos de la balanza comercial siendo cada vez
mayores, al grado que en 1972 el déficit de la
balanza comercial alcanza la enorme cifra de
14 038.8 millones de pesos. La segunda observación
se refiere al papel que ha desempeñado el comercio exterior en el desarrollo económico de México
como fuerza impulsora del mismo. Puede afirmarse que hasta 1956, y así lo muestra claramente la
gráfica 6, el comercio exterior representó el factor
más dinámico y más poderoso que impulsaba el
desarrollo, mostrando vigorosos ascensos desde
la segunda guerra mundial hasta ese año; pero
en la última década el comercio exterior ya no
impulsa de la misma manera al desarrollo económico y además de sus severas y violentas fluctuaciones muestra claramente una tendencia al
estancamiento.

A mi juicio aquí encontramos con toda precisión
otra de las causas primordiales de la disminución
de la tasa de desarrollo de la economía mexicana.
La comprobación de tal decadencia del comercio
exterior la vemos con absoluta precisión en la gráfica 8, donde representamos los coeficientes de
exportación y de importación que se han calculado
como un porciento de las exportaciones e importaciones del ingreso nacional. La importancia del
comercio exterior con relación al ingreso nacional
se ha reducido a la mitad en los últimos 16 años

(de 1956 a 1972). En 1956 las importaciones representaban el 15 % y las exportaciones el 12.5 % aproximadamente, o sea el 27.5 % del ingreso nacional; en 1972, las importaciones representaron el 7.7 % y las exportaciones el 5.3 %, o sea el 13 % del ingreso nacional. Con relación al crecimiento de la población las exportaciones no han subido para nada de 1956 a 1970 (véase gráfica 6). La Dirección General de Estadística, en su *Anuario de comercio exterior* de 1971, p. 758, nos da la cifra de 349.42 pesos de exportación *per capita* en 1956 y, para 1970, la cifra casi igual de 349.60 pesos. En cambio las importaciones han ganado terreno subiendo de 438.64 pesos *per capita* en 1956 a 626.61 en 1970. Para el año de 1972 se registra una visible recuperación del comercio exterior, pero estamos todavía muy lejos de aquellos años anteriores a 1956. Véase también cómo los coeficientes, tanto de exportaciones como de importaciones, muestran una tendencia ascendente de 1943 a 1956 y a partir de ese año se invierten iniciando un marcadísimo descenso, sobre todo en lo que se refiere al coeficiente de exportaciones. La realidad es que mientras los factores externos depriman el coeficiente de exportación, el desarrollo económico interno de la economía mexicana presiona de tal manera que mantiene elevado el coeficiente de importación traduciéndose en un crecimiento permanente del saldo negativo de la balanza comercial.

Para financiar sus importaciones, México ha tenido que neutralizar dicho saldo negativo con el turismo y la afluencia de capital. La gráfica 7 nos ilustra muy bien cómo han venido creciendo los mencionados saldos comerciales negativos y los niveles desusados que han alcanzado en 1968, 1970 y 1972.

EL SECTOR AGRÍCOLA SE RETRASA

Si el fuerte crecimiento de la población y la menor importancia del comercio exterior dentro del ingreso nacional han deprimido la tasa de des-

Tasa de desarrollo y línea de tendencia (1934-1972)

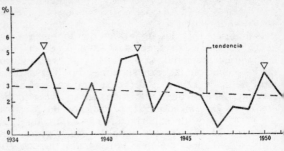

Tasas de crecimiento anual del PNB en términos reales y de la población (1934-1972)

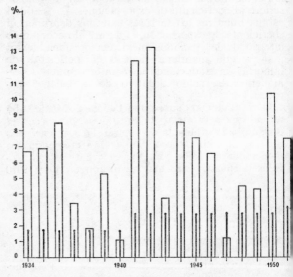

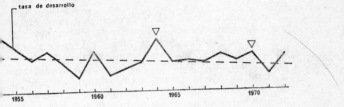

tasa de desarrollo

1955   1960   1965   1970

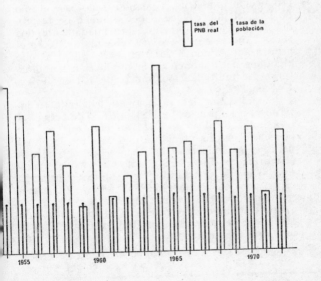

tasa del
PNB real

tasa de la
población

1955   1960   1965   1970

arrollo en las últimas dos décadas, el retraso del sector agrícola ha venido a afectar la ampliación del mercado interno, que ha circunscrito el desarrollo económico principalmente a los sectores urbanos.

De acuerdo con cifras de la Comisión Económica para América Latina [2] el producto de la agricultura creció rápidamente de 1945 a 1955, a una tasa anual de 8.6 %, y en la siguiente década dicha tasa anual bajó a 4.1 %. Tal fenómeno se debió a la debilidad de la demanda externa que disminuyó de una tasa anual de crecimiento de 12.9 % en el primer período, a 3.9 % anual en el segundo período de 1956-1966. En la actualidad la demanda externa sigue disminuyendo. En 1967 el índice de la producción agrícola para exportación con base 1959-1961 = 100 fue de 114.6 puntos y en 1971 había bajado a 111.1 puntos, mientras que el índice de la producción agrícola para consumo interno subió de 147.9 puntos en 1967 a 171.2 puntos en 1971. [3]

No obstante este aumento para el consumo interno se ha quedado muy atrás con relación a la producción industrial. Tomando como base el año de 1950, el índice general del volumen de la producción agrícola aumentó aproximadamente dos veces y media de 1950 a 1969 subiendo de 100 en el primer año citado a 262.2 en 1969; mientras que el índice del volumen de la producción manufacturera se multiplicó por cinco, de 100 en 1950 a 496.3 en 1969. [4]

Si analizamos las variaciones del producto interno bruto a precios de 1960, por tipo de actividad económica de 1964 a 1972, veremos que en ese período el PIB ha crecido a una tasa media anual de 7 %, las industrias de 7.8 % y las actividades primarias de 3.1 %. En el año de 1968 el crecimiento de la agricultura fue realmente insignificante, pero en los años de 1967, 1969 y 1972 muestra disminuciones (véase cuadro v).

En la actualidad, el producto nacional bruto de México crece realmente por el impulso que le da la industria manufacturera.

[2] Véase: *Estudio económico de América Latina, 1966*, cuadro 167, p. 219. Véase también el informe de 1971, cuadro 129, p. 187.

[3] *Ibidem*, Informe 1971, cuadro 129.

GRÁFICA 8

Coeficientes de importación y exportación (1939-1972)

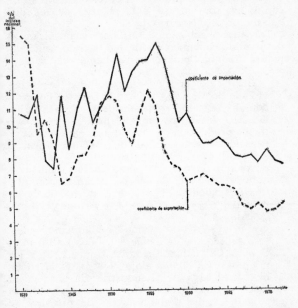

No es difícil deducir las consecuencias que tiene
para el bienestar de la población este grave desequilibrio estructural del desarrollo económico de
México, en donde la mitad de la población, con
muy baja productividad, vive de la agricultura.
En 1970, el 39.5 % de la población económicamente
activa se dedicó a las actividades primarias (agricultura, ganadería, silvicultura, caza y pesca) y
produjo el 11.6 % del producto interno bruto a precios de 1960, mientras que el 16.7 % se dedicó a
las industrias de transformación y produjo el
22.8 % del PIB. La productividad de la mano de
obra por trabajador en pesos de 1960, en el sector
primario, fue de 6 767 pesos en 1970, mientras que

---

4 *La economía mexicana en cifras, 1970*, Nacional Financiera, S. A., p. 90, cuadro 4.1, y p. 122, cuadro 5.2.

en el sector industrial en el mismo año fue de 34 371 pesos por trabajador. El campesino produce el 20 % de lo que produce el obrero, así nos explicamos el gran atraso y la pobreza de los que habitan en el medio rural.[5]

Tal atraso del campo nos hace pensar que el desarrollo económico de México ha sido principalmente urbano. De acuerdo con Lamartine Yates:[6]

2. En 1960, la zona metropolitana [es decir, el valle de México y no sólo el Distrito Federal] contaba con una población de más de 5 millones de habitantes y, probablemente, con el 55 % de la producción industrial del país, en comparación con las cifras de 1940 que llegaban a 1.8 millones de habitantes y al 40 % de la producción industrial. Si persisten las tendencias actuales, el valle de México alcanzará en 1980 una población de 15 millones de habitantes y más del 60 % de la producción industrial nacional.

3. Hay sólo otra región parcialmente industrializada que comprende a las dos Californias, Sonora, Chihuahua, Coahuila, Nuevo León y Tamaulipas. En ella se aloja el 16 % de la población y el 23 % de la industria; la producción industrial aparece concentrada en unas cuantas ciudades, muy distantes unas de otras, y se refiere principalmente al beneficio de los productos agrícolas y mineros para su exportación. El resto de la república, que comprende las dos terceras partes de la población, posee tan sólo el 22 % de la industria.

4. También en lo que concierne a niveles de vida, además del Distrito Federal, el territorio de Baja California y los otros seis estados del norte ocupan una posición privilegiada (alcanzan niveles superiores al promedio nacional en proporciones que van del 35 al 100 %). En contraste, Chiapas, Oaxaca, Guerrero, Tlaxcala,

[5] *La economía mexicana en cifras, 1970*, Nacional Financiera, S. A., cuadro 2.6, p. 29, y cuadro 2.7, p. 33. *Anuario Estadístico Compendiado, 1970*, Dirección General de Estadística, cuadro 2.11, p. 29.

[6] *El desarrollo regional de México*, Banco de México, S. A., pp. 1 y 2.

Hidalgo, Guanajuato, San Luis Potosí y Zacatecas, tienen niveles de vida inferiores a las dos
terceras partes del promedio nacional. En los
diversos aspectos del bienestar: salud, educación, alojamiento, salario mínimo, seguridad social, consumo de alimentos y posesión de bienes
durables, como automóviles, los estados ricos
superan con mucho a los estados pobres.

5. Esa desproporción va en aumento. En 1940,
la diferencia del producto nacional bruto *per
capita* entre las zonas más ricas antes descritas
y los 10 estados más pobres fue de cerca de
4 500 pesos (valor monetario de 1960); en 1960,
la diferencia fue de 6 500 pesos. Aunque la producción por persona está aumentando más rápidamente en los estados pobres que en los ricos —4.3% en comparación con 2%— con dichas
tasas de crecimiento tendrán que transcurrir
más de 70 años para que las entidades pobres
lograsen alcanzar a las prósperas.

En un estudio publicado por Nacional Financiera, S. A., en *El Mercado de Valores*, núm. 11,
13 de marzo de 1972, sobre el desarrollo regional,
pueden apreciarse los enormes desequilibrios que
existen en la distribución de la riqueza dentro del
país. Sólo tres entidades han salido del subdes-
arrollo: el Distrito Federal, Nuevo León y Baja
California, que registran en 1965 un producto bruto por habitante entre 7 y 12 mil pesos; 12 entidades, entre las cuales están las del norte y del
noroeste con sus ricos distritos de riego, tienen
un producto bruto por habitante de 3 a 7 mil pesos
y el resto, 17 entidades, vegetan con menos de
3 mil pesos. Lo grave es que entre ellas están las
entidades más pobladas, como son las de la zona
centro del país y el abandonado sureste. Hay entidades como Tlaxcala que registra un producto
bruto por habitante de 1 164 pesos anuales y Oaxaca
de 1 216 pesos.

El Banco Nacional de México llama la atención
sobre los graves desequilibrios de desarrollo regional [7] y, con cifras del censo industrial de 1966,

7 *Examen de la Situación Económica de México*,
vol. XLIV, núm. 511, junio de 1968.

hace ver que en 1965, mientras el Distrito Federal registra un valor agregado industrial de 16 947 millones de pesos, Quintana Roo tiene 19 millones, Campeche 102, Guerrero 151, y así por el estilo se encuentran las entidades menos desarrolladas donde predomina la agricultura de temporal.

Las diferencias abismales entre las zonas más ricas y las más pobres del país se observan analizando la población económicamente activa por regiones en 1970. De acuerdo con los datos del estudio citado de Nacional Financiera, S.A., la población económicamente activa se distribuía como sigue (en porcentajes):

	Agropecuaria	Industrial	Servicios
I. Región Distrito Federal	2.2	36.7	57.1
V. Región Peninsular	52.71	15.06	26.11
VI. Región Centro Norte	54.82	16.27	22.59
VII. Región Pacífico Sur	69.27	10.14	14.84

En las tres últimas regiones se encuentran las 10 entidades más pobres del país que son: Región Peninsular, Campeche, Quintana Roo, Yucatán; Región Centro Norte, Aguascalientes, Durango, San Luis Potosí, Zacatecas, y Región Pacífico Sur, Chiapas, Guerrero y Oaxaca. La población económicamente activa dedicada a las actividades agropecuarias fue de 39.5 % en 1970 en todo el país; las regiones mencionadas superan con creces dicha cifra.

CAPÍTULO III

EL CRECIMIENTO DE LA POBLACIÓN

Hemos visto en el capítulo anterior que son tres los factores que han condicionado el desarrollo económico de México en los últimos treinta y cinco años: el fuerte aumento de la población, la disminución relativa del comercio exterior con relación al ingreso nacional y el atraso de la agricultura con relación a la industria.

LA TASA DE AUMENTO DE LA POBLACIÓN DETERMINA LA TASA DE DESARROLLO

Si bien es cierto que los dos últimos factores son de gran importancia para entender la dinámica del desarrollo, nadie puede desconocer que la característica fundamental de éste está fuertemente condicionada por el crecimiento de la población.

Puede afirmarse sin lugar a dudas que el fuerte aumento de la población, en los últimos diez años, determina totalmente el nivel de la tasa de desarrollo. La forma más clara de captar el efecto de la población en el desarrollo, es dividirlo en cinco períodos que correspondan a las diferentes tasas de aumento de la población de 1934 a 1972, como puede verse en el cuadro de la p. 40.

Vemos que la tasa de desarrollo y el producto nacional bruto *per capita* han bajado a medida que la tasa de la población ha subido, no obstante que la tasa de crecimiento del PNB registra aumentos. El efecto del incremento de la población sobre la tasa de desarrollo y el PNB *per capita* real es tan evidente que podemos observar que, en aquellos períodos en que la población aumentó menos, aunque sean menores los aumentos del PNB, la tasa de desarrollo y el PNB *per capita* fueron ma-

Promedios de la tasa de crecimiento del producto nacional bruto real, de la población, de la tasa de desarrollo y del ingreso per capita *real (1934-1972)*

	Período	Del PNB a términos reales (1)	De la población (2)	Del desarrollo (1) / (2)	Del PNB per capita real (1)-(2)
1]	1934-40	4.8	1.7	2.8	3.1
2]	1941-50	7.2	2.7	2.7	4.5
3]	1951-60	6.2	3.1	2.0	3.1
4]	1961-65	6.5	3.4	1.9	3.1
5]	1966-70	7.1	3.5	2.0	3.6
	1971-72	5.6	3.4	1.6	2.2

FUENTE: Elaborado con cifras de los informes anuales del Banco de México, S. A., y de la Dirección General de Estadística, SIC.

yores que en aquellos en que el PNB creció más, pero fue neutralizado por un aumento mayor de la población. Por ejemplo 1934-40 con una tasa media anual de desarrollo de 2.8 % y una tasa del PNB *per capita* de 3.1 %, contra 1961-65 con 1.9 de desarrollo y 3.1 de PNB *per capita*, no obstante que en este último período el PNB creció en promedio a una tasa anual de 6.5 % contra 4.8 % en el primero. En el período 1971-72, debido a la seria depresión de 1971, las dos variables se suman para neutralizar en forma muy notoria la tasa del desarrollo y del PNB *per capita*. El incremento del PNB en términos reales en estos dos últimos años bajó a 5.6 % anual en promedio y el crecimiento de la población se mantuvo a la elevada tasa de 3.4 %.

Este análisis confirma nuestra conclusión anterior, de que el aumento actual del producto nacional bruto es insuficiente.

SEGUIRÁ PREVALECIENDO LA GRAN INFLUENCIA
DE LA POBLACIÓN

El aumento de la población es pues decisivo para
el desarrollo económico de México. Veamos sus
principales características y sus consecuencias fu-
turas.

Como puede verse en el cuadro anterior, de 1934
a 1972, la tasa anual de incremento de la población mexicana ha subido en forma muy importante: de 1.7 % a 3.4 % en los años mencionados.
Estas tasas significan que en los 40 años que cubre
el más importante período de desarrollo económico
de México, la población se ha triplicado: de 16.5 millones de habitantes en 1930 a 48.4 millones en
1970. En 1973 se estima que la población es de
54.2 millones de habitantes.

En vista de que este tremendo crecimiento es
consecuencia de una alta tasa de natalidad y un
descenso de la tasa de mortalidad, el resultado es
que la población se ha rejuvenecido con dos consecuencias de gran trascendencia: el aumento de
la población dependiente y el posible mantenimien-
to de la elevada tasa de crecimiento de la población mexicana que nos colocará en un nivel entre
69 y 73 millones de habitantes para 1980.[1]

Los efectos de estos fenómenos demográficos
sobre el desarrollo económico de México son fáciles de adivinar en los años futuros. Si examinamos algunos indicadores de presión demográfica[2]
según el crecimiento que se espera de la población
de México, observaremos tres consecuencias de
gran importancia: la primera que la tasa de dependencia se mantendrá inalterable en la ya conocida
y elevada proporción de dos personas económicamente dependientes por cada persona con empleo;

[1] Véanse los estudios de Raúl Benítez Zenteno y
Gustavo Cabrera, *Proyecciones de la población de México, 1960-1980*, Banco de México, S. A., México, 1966;
"La población futura de México", de los mismos autores, en *El Trimestre Económico*, abril-junio de 1966,
núm. 130, y Gilberto Loyo, *Población y desarrollo económico*, Editorial Sela, México, 1963.

[2] Revista *Comercio Exterior* del Banco Nacional de
Comercio Exterior, S. A., marzo de 1967, cuadro I,
p. 173.

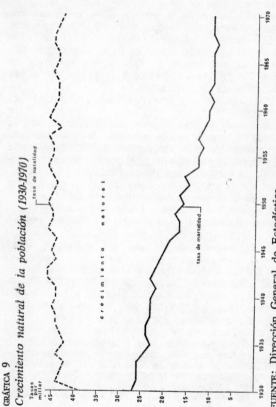

GRÁFICA 9

Crecimiento natural de la población (1930-1970)

FUENTE: Dirección General de Estadística.

la segunda que la oferta de fuerza de trabajo se duplicará en los próximos años de 400 mil trabajadores en el período 1960-65 a más de 800 mil en 1976-80, y tercera que la concentración urbana seguirá creciendo implacablemente hasta duplicarse en el mismo período.

Para el desarrollo económico significa que debe crecer la productividad por trabajador en forma muy rápida y que deben crearse un mínimo de medio millón de empleos anuales hasta llegar a 800 mil empleos anuales en la próxima década, para absorber el tremendo crecimiento de la fuerza de trabajo. La solución sólo se encuentra en la ampliación acelerada del mercado interno.

HAY UN GRAN DESEQUILIBRIO ESTRUCTURAL ENTRE OCUPACIÓN E INGRESO

Este rápido análisis de tan importantes fenómenos demográficos nos lleva de la mano a la consideración del principal problema del desarrollo: el desequilibrio estructural de la economía mexicana entre ocupación e ingresos. Todo país pobre muestra dicho desequilibrio que tiende a corregirse a medida que avanza en el desarrollo (véase cuadro VI). En 1970, el 39.5 % de la población económicamente activa ocupada en actividades primarias obtiene el 11.6 % del PNB, mientras que el 22.9 % de la población económicamente activa ocupada en la industria obtiene el 34.3 % del PNB. La diferencia de productividad es notoria. En este aspecto la relación de la industria a la agricultura es de cinco a uno y de esta última vive la mitad de la población mexicana, como hemos visto. Si calculamos coeficientes de desequilibrio estructural dividiendo el ingreso entre la ocupación, encontramos un bajo coeficiente de las actividades primarias que nos revela la pobreza de la gran población que vive de estas actividades (ver cuadros VI, VII y VIII).

Para que se pueda apreciar la amplitud del desequilibrio ocupación-ingreso de la economía mexicana, hemos trazado dos gráficas, una para México y otra para Estados Unidos en 1970.

GRÁFICA 10

México: crecimiento de la población (1803-2000)

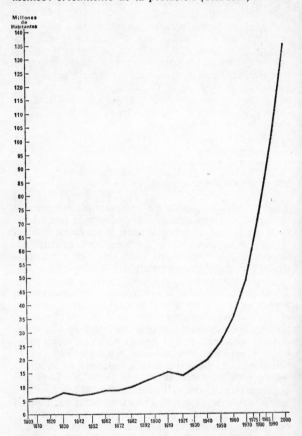

FUENTES: 1803 a 1980: Dirección General de Estadística.
1985 a 2000: *Dinámica de la población de Méxi-co*, cuadro VII-4, p. 192.

El cuadro VIII, que ha servido de base para esta gráfica, nos indica que mientras en México en 1970 el 39.5 % de la población económicamente activa ocupada en actividades primarias producía el 11.6 % del PNB, en Estados Unidos en la misma fecha el 5 % de la población económicamente activa, ocupada en idénticas actividades, producía el 3.1 % del PNB.

En las gráficas 12 y 13 pueden observarse los desequilibrios estructurales entre ocupación e ingreso en actividades primarias de México y Estados Unidos en 1970. Desde luego destaca la enorme superficie del área de desequilibrio del primero en comparación con la del segundo; se debe a que en México la proporción de la población que trabaja en actividades primarias es muy alta y su producción es muy pequeña, mientras que en Estados Unidos esa misma proporción es muy pequeña y su relación con la producción es también reducida. Utilizando un número convencional que se obtiene de multiplicar la ocupación por el ingreso para medir el área de desequilibrio, en México es de 652, mientras en Estados Unidos es de 155, es decir, menos de la cuarta parte. Aquí tenemos otro argumento poderoso para fortalecer nuestra tesis de que el desarrollo económico debe extenderse hacia los sectores campesinos donde no ha llegado.

EL CRECIMIENTO URBANO, SÍNTOMA DE DESEQUILIBRIO, DEBE CORREGIRSE

Veamos por último el desarrollo urbano. El fuerte crecimiento urbano de la población mexicana es un fiel reflejo del desarrollo económico. Hay una relación directa entre industrialización y urbanización.

Hasta puede afirmarse, como lo demuestran algunos investigadores, que "...En México se observa una asociación directa entre el nivel de ingreso *per capita* y el grado de urbanización".[3] Esto es síntoma de un grave desequilibrio. Como hemos

[3] Leopoldo Solís, "Desarrollo a largo plazo de México", *Demografía y Economía*, núm. 1, p. 90.

dicho en el capítulo anterior, el desarrollo económico de México parece ser un "desarrollo económico urbano".

Según el censo de población de 1970, contamos ya no con una, sino con tres grandes zonas metropolitanas donde se concentran 11 206 000 habitantes, dentro de 13 ciudades, que representan el 23.2 % del total del país. Tales zonas son la de la ciudad de México, con 8 541 000 habitantes, la de Guadalajara, con 1 487 000 habitantes, y la de Monterrey, con 1 177 000 habitantes. De acuerdo con un estudio de Luis Unikel,[4] podemos afirmar que "en el presente siglo, la población urbana de México, aquella que vive en localidades de 15 000 o más habitantes, creció más rápidamente que la población total del país". La tasa media de aumento de la población total en la década 1960-70 fue de 3.37 % anual, la de la urbana fue de 5.37 % anual; la relación entre la población urbana y la población total creció de 20 % en 1940 a 45 % en 1970.

De las ciudades, las que más crecieron en el país son las que forman parte de la zona metropolitana de la ciudad de México. Alguna, como Netzahualcóyotl, del estado de México, que prácticamente no existía en 1960, apareció en el nuevo censo de 1970 con 571 000 habitantes y a la fecha, en 1973, se acerca rápidamente al millón de habitantes; otras, como Ecatepec, cuadruplicaron su población; Naucalpan subió su población en un 335 % y Tlalnepantla, del mismo estado, el 254 % (ver el cuadro IX).

Otras investigaciones nos demuestran la situación actual de los fuertes desequilibrios regionales de la economía de México,[5] que desde luego suponen desequilibrios en la distribución geográfica de la población. El desarrollo económico más elevado, donde el ingreso medio por trabajador en 1960 fue entre 761 y 913 pesos, se registra en zonas del país con una proporción urbana mayor del

---

[4] "Urbanización y urbanismo: situación y perspectivas", *Disyuntivas sociales*, SepSetentas 5, Secretaría de Educación Pública, 1971, p. 85.

[5] Claudio Stern, "Un análisis regional de México", *Demografía y Economía*, núm. 1, El Colegio de México, 1967, p. 92.

75 % que representan el 30.5 % de la población total o sea 10.65 millones de habitantes y cuyos incrementos de población entre 1950 y 1960 rebasaron el 60 %. Por el contrario, aquellas zonas con una proporción de población urbana inferior al 50 % que representaron el 61 % de la población total del país, o sea 21.17 millones de habitantes, registraron un desarrollo económico inferior al otro grupo (véase el cuadro x).

Según esta investigación un poco más de la mitad de la población del país, en 1960, se ocupa casi completamente en actividades primarias y el ingreso medio por trabajador casi es la tercera parte de las zonas más desarrolladas (entre 323 y 355 pesos anuales en 1960).

Lo grave de la situación que venimos comentando es que el incremento anual de la población urbana tiende a ser mayor en los años futuros.[6] Se estima que el aumento medio anual de la población urbana pasará de 1 244.7 miles en el período 1966-70 a 1 558.2 miles en el período 1971-75 y 1 871.8 miles en el período 1976-80.

Son muy interesantes las conclusiones de Stern sobre estos problemas de población y desarrollo.[7]

a) Tomando como base de comparación el grado de desarrollo alcanzado por el país en su conjunto, sólo unas cuantas zonas, relativamente aisladas, tienen niveles de desarrollo elevados, mientras la mayor parte de las zonas se encuentra a bajos niveles de desarrollo. En términos cuantitativos, el 26.2 % de la población mexicana vive en zonas de elevado nivel de desarrollo, el 20.9 % en zonas de nivel medio, y el 52.9 % en zonas de bajo nivel.

b) El contraste que existe entre las zonas más desarrolladas del país y las más atrasadas es verdaderamente impresionante: mientras en las primeras el 94.3 % de la población es urbana, en las segundas solamente lo es el 12.4 %; mientras las zonas más desarrolladas incrementaron

6 Véase artículo citado de *Comercio Exterior*, Banco Nacional de Comercio Exterior, S. A., marzo de 1967, p. 173.

7 *Ibidem*, pp. 104-106.

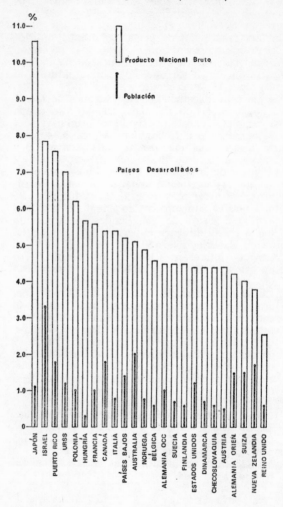

GRÁFICA 11

Incrementos del PNB real a precios de 1970 y tasa media de crecimiento de la población (1960-1970)

FUENTE: Banco Mundial, *Atlas*.

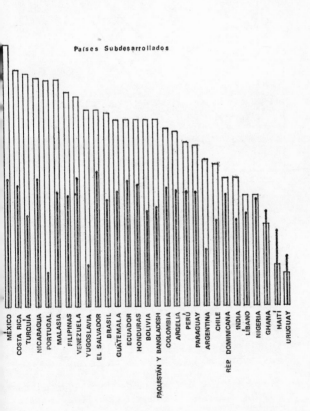

Países Subdesarrollados

GRÁFICA 12

*México: desequilibrio estructural entre ocupación
e ingreso en actividades primarias (1970)*

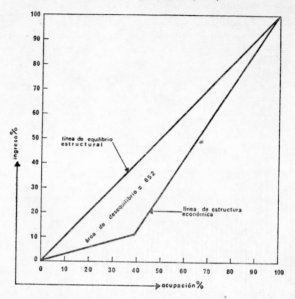

su población 67.2 % entre 1950 y 1960, en las
atrasadas hubo apenas un incremento de 22.1 %;
mientras en las primeras el 27.6 % de la población económicamente activa está constituida
por mujeres, en las segundas esta proporción
es solamente de 11.6 %; mientras en las zonas
más atrasadas el 89.8 % de la población activa
se dedica a las actividades agropecuarias y sólo
el 3.2 % a las industriales y el 5.1 % al comercio y los servicios, en las más desarrolladas el
53.1 % se dedica a las actividades terciarias,
el 39.3 % a las secundarias y apenas el 6.2 % a
las primarias. La diferencia en el ingreso mensual de los trabajadores es de $ 590 entre unas
zonas y otras, la cual queda también reflejada
en los salarios mínimos legales fijados para
ambas clases de zonas.

GRÁFICA 13

*Estados Unidos: desequilibrio estructural
entre ocupación e ingreso en actividades
primarias (1970)*

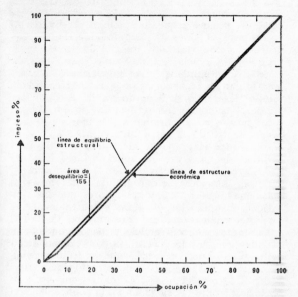

c) En México las zonas de inmigración están constituidas, por lo general, por centros urbanos mayores de 50 000 habitantes y que han alcanzado niveles relativamente elevados de desarrollo. Por otra parte, existe relación directa entre los niveles de salarios mínimos legales fijados para las zonas y su nivel de desarrollo, lo cual permite suponer que, en este aspecto, la política gubernamental favorece la migración de trabajadores hacia los centros de mayor desarrollo y refleja las condiciones objetivas de mayor productividad que se presentan en ellas.

d) Las grandes diferencias que hay entre el nivel de desarrollo que han alcanzado las zonas desarrolladas con respecto a las áreas geográficamente contiguas a ellas permite dudar de la validez de algunas teorías en que se subraya el "efecto de difusión" que se supone existe entre las áreas que presentan un elevado nivel de desarrollo y su "zona de influencia", cuando menos en México y en la etapa de desarrollo en que se encuentra.

e) A pesar de que la tipología se ha hecho con base en zonas que comprenden tanto áreas urbanas como rurales, resalta la importancia de las diferencias rural-urbanas como una de las discontinuidades más importantes que determinan la "participación" o "marginalidad" en el desarrollo, de acuerdo con la tesis de González Casanova,[8] con respecto a que en México los grupos más marginales son los que se ubican dentro de la estructura rural.

f) Entre el grupo de las zonas más desarrolladas del país y el de aquellas cuyo nivel de desarrollo es también elevado, pero inferior al de las anteriores, se dan grandes diferencias en las magnitudes de los indicadores que las tipifican. Estando las primeras constituidas generalmente. por centros urbanos mayores de 100 000 habitantes y encontrándose en las segundas ciudades que, por lo general, no sobrepasan dicha magnitud, puede pensarse que es fundamentalmente en las grandes concentraciones urbanas donde se propician las condiciones que tipifican el desarrollo. Posiblemente la concentración industrial y de las actividades comerciales sean factores de importancia en la determinación de este fenómeno, derivándose de ellas una mucho mayor productividad, mayor participación de la mujer en las actividades económicas, mayores ingresos, etcétera.

g) Habiéndose encontrado también grandes discontinuidades entre las características y niveles de desarrollo de las zonas cuya población urbana habita en localidades mayores de 50 000 habitantes, entre 10 y 50 000, entre 5 y 10 000, y menores de 5 000, puede proponerse la hipótesis de que el grado de desarrollo está relacionado

8 Pablo González Casanova, "Sociedad plural y desarrollo: el caso de México", en *La industrialización en América Latina*, edición preparada por Joseph Kahl, México, Fondo de Cultura Económica, 1965, pp. 262-273

con el tamaño de las localidades en que la población habita.

Surge de inmediato la necesidad de una política de población congruente con el desarrollo económico de México y que considere lo siguiente:[9]

a] La nueva estructura de la población en relación al rejuvenecimiento, las tasas de dependencia, la oferta de fuerza de trabajo y el crecimiento de la población urbana.

b] La migración rural-urbana y el aumento de ocupación en las ciudades.

c] La desocupación disfrazada en las ciudades.

d] El deterioro del nivel de ingreso y la condición social de la población rural (vivienda, educación y salubridad principalmente).

La tasa de 3.5% de crecimiento anual de la población mexicana es una de las más altas del mundo. Ningún país del mundo de más de 50 millones de habitantes tiene la tasa anual de crecimiento demográfico de México. África crece a una tasa del 2.6% anual; la India al 2.3%; China Popular al 2.0% y Egipto —República Árabe Unida— al 2.5%. Entre los países iberoamericanos sólo El Salvador lo supera con 3.7% y le igualan con 3.5% Nicaragua y Venezuela.[10] La tasa de crecimiento anual de la población mundial fue en 1970 de 2%, de Iberoamérica de 2.9% y de México 3.5%. En el período de 10 años de 1960 a 1970, entre 24 países desarrollados y 33 países subdesarrollados (véase la gráfica 11) la tasa de

[9] Coincido totalmente con las bases de acuerdo sobre políticas de población elaboradas entre los días 6 y 10 de febrero de 1967 en el Seminario Preparatorio para la Reunión sobre Políticas de Población en Relación al Desarrollo de América Latina. Ver revista *Comercio Exterior*, Banco Nacional de Comercio Exterior, febrero de 1967, p. 102.

[10] Cifras del *Atlas* del Banco Mundial.

crecimiento anual de la población de México es la más elevada del mundo después de la de El Salvador. Las tasas de los países ricos se mantienen abajo del 1 % y muy pocos rebasan esta magnitud. La tasa de los países pobres, en general, oscila entre 2 y 3 % y la de los países ricos entre el 0.5 y el 1 %.[11]

La tasa de incremento anual de la población de México se ha elevado a partir de 1934 de 1.7 % a 3.4 % en 1972 (véase gráfica 3). Si dicha tasa persiste, la población aumentará a 60 millones en 1975 y para el año 2000 será de 135 millones de habitantes (véase gráfica 10), es decir, que se duplicará cada 20 años, a partir de 1960 en que registró 35 millones de habitantes.[12]

ALTA TASA DE NATALIDAD Y BAJA TASA DE MORTALIDAD

Como todos los países en desarrollo, México tiene una alta tasa de natalidad que en 1970 era de 43.4 al millar (véase gráfica 9). Hace una década superaba la de muchos países con el mismo o inferior nivel de desarrollo. Por ejemplo la tasa de natalidad de México entre los años de 1951 a 1955 fue en promedio de 45.2 al millar, la de Brasil fue de 43.0, la India 39.9, China 37.0.[13] Si bien esta tasa resulta elevada frente a países similares, cuando se la compara con países más desarrollados, resulta exagerada ya que en ese período, por ejemplo, Estados Unidos registra una tasa de natalidad de 24.7 al millar, Japón 22.0, Francia 19.1. En 1970, de acuerdo con cifras de las Naciones Unidas, la tasa de natalidad de Estados Unidos fue de 18.2 al millar. En cambio, en cuanto a la tasa de mortalidad, México está muy abajo de muchos países con el mismo nivel de desarrollo y casi a la altura de los países altamente desarrollados. En consecuencia, la tasa de incremento natural ha venido creciendo,

11 *Ibidem.*
12 Dirección General de Estadística y *Dinámica de la población de México*, cuadro VII-4, p. 192.
13 Gilberto Loyo, *Población y desarrollo económico*, Pesa, 1963, pp. 204 y 205.

por la disminución de la tasa de mortalidad y el incremento de la tasa de natalidad. En 1970 aquélla fue de 9.9 al millar en México y en Estados Unidos fue de 9.4. En la gráfica 9 se ve claramente el crecimiento de la población mexicana.

INVERSIÓN Y CRECIMIENTO DE LA POBLACIÓN

Como hemos visto, México tiene una de las más altas tasas de crecimiento demográfico; no registra en cambio un alto nivel de inversión. Si analizamos dos períodos, 1950-56 y 1957-62, veremos que entre diez países altamente desarrollados, México registra las más altas tasas de crecimiento de la población con una inversión del 13 al 14 % del producto nacional bruto que es la más baja entre esos países. Por ejemplo, Japón tiene una tasa de inversión del 20 al 30 % del producto nacional bruto con una tasa de población que no llega al 1.5 %; Canadá, inversión 22 %, población 2.5 %; Francia, inversión 16 al 19 %, población 0.7 al 1.3 % (ver cuadro XI).

CAPÍTULO IV

DESARROLLO ECONÓMICO DEPENDIENTE

SON CUATRO LAS CARACTERÍSTICAS BÁSICAS DEL DESARROLLO

Del rápido examen del desarrollo económico de México en las últimas tres décadas y media se deducen los aspectos sobresalientes que le dan las características básicas a dicho desarrollo.

Se puede afirmar que la fuerte influencia del comercio exterior en la economía mexicana, hasta el año de 1956, le dio su carácter de dependencia. A pesar de que este factor ha disminuido en la última década, todavía su influencia es grande y nos permite afirmar que el desarrollo económico de México es dependiente.

Igualmente podemos señalar que la influencia de los préstamos internacionales, la afluencia y salida de capital a corto plazo y las oscilaciones bruscas de las inversiones extranjeras le dan otra característica básica al desarrollo: se trata de un desarrollo económico fluctuante sujeto a variaciones cíclicas que se acelera y desacelera según sea la fase del ciclo.[1] Desde este punto de vista podemos decir que es un desarrollo económico fluctuante. El fuerte crecimiento de la población y el retraso de la agricultura con relación a la industria, así como la ausencia de una política de planificación nacional, le dan la tercera característica de desarrollo económico desequilibrado.

Y, por último, la pequeña participación del Estado en el producto nacional bruto y la ausencia de una vigorosa política monetaria y fiscal redistributiva y estimulante del desarrollo le dan la cuarta y última característica, haciéndolo un desarrollo económico concentrador del ingreso.

[1] Véase la obra del autor *Ciclos económicos y política de estabilización*, Siglo XXI, México, 1967.

Veremos cómo estas cuatro características básicas limitan el crecimiento interno y son un obstáculo que frena la tasa de desarrollo.

Un análisis detenido nos permitirá ver con claridad estos aspectos.

EL DESARROLLO ECONÓMICO DEPENDIENTE

El desarrollo económico ha mostrado siempre una fuerte dependencia de factores externos. Más en las dos primeras décadas que en la última, del período de 34 años que venimos analizando. Se debe a la importancia del sector externo que hasta 1950 representaba más del 30 % del ingreso nacional y en la actualidad representa alrededor del 15 %. Es necesario considerar además las características propias del comercio exterior mexicano:

a] Dependencia muy fuerte de un solo mercado.

b] Importancia predominante de algunas materias primas sujetas a fuertes fluctuaciones.

c] Importaciones predominantes de bienes de capital con altos precios y exportaciones con precios que muestran una tendencia a la baja.

d] Movimientos bruscos de capitales a corto plazo que alteran el equilibrio en forma inesperada.

e] Influencia muy grande del turismo que produce efectos engañosos, ya que cada día son mayores los gastos de los nacionales en el extranjero.

Para ser más claro y preciso, nuestro desarrollo económico se acelera o se retrasa de acuerdo con la política económica que Estados Unidos sigue frente al mundo y frente a nosotros.

Esto se relaciona fundamentalmente con dos variables que determinan nuestra economía: las exportaciones y las inversiones extranjeras.

En forma simple y sencilla se podría afirmar, lo que a corto plazo siempre ha ocurrido, que cuando las exportaciones disminuyen, México baja su tasa de desarrollo; cuando aquéllas aumentan, crecemos aprisa, pero en realidad este mecanismo no es tan sencillo en la economía mexicana porque tiene efectos de más alcance. Resulta que el volumen y valor de las exportaciones no dependen de nosotros sino del país que nos compra, y no estamos en condiciones de fijar ni las cantidades ni los precios; pero en cambio, la contrapartida, las importaciones, están íntimamente asociadas al desarrollo económico, es más, tenemos necesidad de importar bienes de capital para sostener el desarrollo. Ahora bien, en la actualidad nos enfrentamos a un grave problema de equivalencias: las exportaciones bajan de precio, las importaciones suben y como no podemos parar nuestro desarrollo, debemos buscar la manera de pagar esas importaciones cada vez más caras y más apremiantes (braceros, turismo y lo más fácil y efectivo, pedir prestado, endeudarnos). Por otra parte, las exportaciones y las importaciones oscilan, fluctúan, y mientras las exportaciones bajan rápidamente porque dependen del nivel de ingresos externos, las importaciones disminuyen con retraso, porque los proyectos de inversión del desarrollo no pueden pararse en seco.

La primera causa del retraso del desarrollo económico de México la encontramos en estos fenómenos. Desde 1955, las exportaciones no desempeñan ya un papel tan dinámico en nuestro desarrollo, mientras nuestro ritmo de importaciones se sostiene aunque sea para mantener una tasa de desarrollo menor.

La gráfica 8 nos indica que, si en 1955 las exportaciones representaban el 12 % del ingreso nacional, desde 1966 hasta 1972 han representado menos del 6 % —se redujeron a un 44 % del valor anterior, a menos de la mitad—; mientras que las importaciones que representaron el 14 % del ingreso nacional en 1955 sólo se redujeron a un 55 % del valor anterior, bajaron a 7.7 % en 1972.

De aquí resulta que por virtud de este hecho el saldo negativo de la balanza comercial tiende a crecer y parece que en forma secular (ver gráfica 7).

EL PAPEL DE LAS INVERSIONES EXTRANJERAS

La segunda consideración que tenemos que hacer en lo que se refiere a la dependencia del desarrollo se relaciona con las inversiones extranjeras. Aunque puede afirmarse que, en una época histórica de México, la inversión extranjera directa representó un impulso para la economía y la generación de ingresos internos y por lo mismo aceleró el desarrollo, a partir de 1958 su carácter fluctuante y la descapitalización que representan las han convertido en un obstáculo. A largo plazo podemos ver que la diferencia entre egresos e ingresos de las inversiones extranjeras subió de 22.3 millones de dólares en 1958 a 74.1 millones de dólares en 1964 (ver cuadro XII).

Si calculamos el ingreso neto que recibe el país por concepto de inversiones extranjeras, como la diferencia entre ingresos menos egresos menos utilidades reinvertidas de las inversiones extranjeras en el período 1960-65, resulta un ingreso neto negativo por 73.6 millones de dólares.[2]

Si analizamos un período de 14 años, de 1958 a 1971, encontraremos que los ingresos por concepto de inversiones extranjeras directas en México fueron de 26 060.4 millones de pesos y los egresos de 40 220.8 millones de pesos, por lo que se registró un déficit de 14 160.4 millones de pesos. Las utilidades remitidas al exterior en ese período representaron el 68 % del total de utilidades obtenidas. Las inversiones extranjeras son cada vez más descapitalizadoras, como lo podemos ver por las cifras del cuadro de la p. 60.

A corto plazo los efectos de las fluctuaciones de las inversiones extranjeras son más visibles y claros. Podemos asociar los años de prosperidad de la economía mexicana con afluencia de inversiones directas y los años de depresión con salida de capital extranjero. Es decir, que este tipo de inversiones acentúan la inestabilidad de la economía mexicana, que se ha vuelto tan sensible a las inversiones extranjeras que las reservas del Banco

[2] Banco de México, S. A., *Informe Anual, 1965*, y Banco Nacional de Comercio Exterior, S. A., *México 1966: hechos, cifras, tendencias*, p. 184.

Inversiones extranjeras

(millones de dólares)

Años	Ingresos	Egresos	Saldo negativo
1967	174.4	290.0	115.6
1968	116.8	265.7	148.9
1969	195.8	315.8	120.0
1970	200.7	351.5	150.8
1971	196.1	376.3	180.2
1972	179.0	411.0	232.0

FUENTE: Banco de México, S. A., *Indicadores económicos*, cuadro III-1, p. 30, mayo de 1973.

de México fluctúan al mismo tiempo que aquéllas (ver cuadro XIII).

Se observa que, cuando los ingresos netos por inversiones extranjeras son negativos, hay una disminución de la reserva del Banco de México, que coincide con fuerte excedente de importaciones y una baja de la tasa de desarrollo. Todos esos años, señalados en el cuadro XII, son años de depresión en la economía mexicana. En cuanto a los préstamos públicos del exterior, el endeudamiento fuerte de México se inicia precisamente en 1955, alcanzando sus máximos en 1960 y 1961, precisamente en años de depresión de la economía mexicana, con préstamos públicos del exterior por 333 y 346 millones de dólares en esos años.[3]

En la depresión de 1971 el PNB en términos reales sólo creció en 3.6 %; la tasa de desarrollo 1%; el PNB *per capita* 0.2 % y el excedente de importaciones fue de 932.8 millones de dólares.

Según cifras del último Informe Presidencial (1º de septiembre de 1972), la deuda externa del sector público a plazo de un año o más llegó a 3 554.4 millones de dólares, que es casi dos veces y media el valor de las exportaciones de mercancías de 1971, que fueron 1 474.5 millones de dólares.[4]

[3] Vernon, *El dilema del desarrollo económico de México*, p. 130, cuadro 9.
[4] Banco de México, S. A., *Informe anual 1971*, cuadro 13, p. 86.

Nuestro desarrollo económico está, pues, condicionado en forma muy importante por los factores externos. Veamos por lo menos lo que ha sucedido en la última década, en que, a pesar de que nos hemos independizado un poco de dichos factores, todavía sus efectos se sienten con toda evidencia.

LOS FACTORES EXTERNOS

En realidad, los factores externos provocaron una fuerte contracción del comercio exterior de México de 1957 hasta 1962, sobre todo en los años de 1959 y 1961, en que por causas cíclicas se vieron afectadas las exportaciones, habiendo aumentado el excedente de importaciones hasta 447 millones de dólares en 1960 (ver gráfica 7).

La tasa media anual de crecimiento del comercio exterior de México, en el período 1959-67, fue de 6.0 %; en los años de depresión el aumento del comercio exterior fue del 1 % en 1961 con relación a 1960 y de 5.8 % en 1962 con relación a 1961. Dichos años se encuentran muy abajo de la tasa media anual.

El efecto depresivo sobre el comercio exterior mexicano actuó fundamentalmente, como siempre sucede, en todos los casos de depresiones procedentes de Estados Unidos, a través de la reducción de exportaciones. Dicha reducción, que ya se hacía sentir desde el año de 1957, nos afectó más en 1960, por el tremendo aumento registrado en las importaciones, que en realidad no dejaron de crecer desde el año de 1957 hasta 1960, 1961 y 1964, en que alcanzaron su mayor ímpetu. Las exportaciones subieron un 32 % en 1960 con relación a 1953, mientras que las importaciones aumentaron un 47 %.

Como es sabido, las reducciones cíclicas del comercio exterior de México provienen de las variaciones en la actividad económica de Estados Unidos. Por lo mismo, las depresiones de la economía norteamericana se reflejan en reducciones de nuestro comercio exterior con ese país.

Del análisis de las cifras del comercio entre México y Estados Unidos, de 1959 a 1967, podemos hacer tres observaciones importantes:

1] Que el volumen total del comercio exterior con Estados Unidos alcanzó una tasa media anual de 4.9 % en este período;

2] Que los años de depresión muestran una clara reducción: 1961, —0.8 % con relación a 1960; y 1962, 3.1 % con relación a 1961, y

3] Que con relación a 1959, el año de 1967 muestra una baja notable, ya que el comercio exterior sólo subió un 4 %.

Es un hecho que las oscilaciones del comercio exterior de México con Estados Unidos son representativas de todo el comercio exterior mexicano, ya que con dicho país realizamos alrededor del 70 % de las transacciones con el exterior.

Hemos dicho que el fenómeno cíclico en el comercio exterior de México se caracteriza por una disminución de las exportaciones y un retraso en el ajuste de las importaciones, o sea que cuando aquéllas empiezan a disminuir, todavía éstas siguen aumentando. Tal fenómeno constituye un freno para el desarrollo económico. Haciendo igual a cien el año de 1959, observamos que en 1960 el valor de las exportaciones aumentó un 2.2 %, mientras que el de las importaciones subió un 17.9 % y en 1961, aunque las exportaciones subieron un 11.1 %, todavía las importaciones registraron un aumento mayor que fue de 13.1 %.[5]

Los factores externos depresivos se observan mejor por los excedentes de importaciones. Como hemos afirmado, los años de depresión de la economía mexicana coinciden con excedentes de importaciones muy fuertes (ver gráfica 7). Por el análisis de las cifras se ve que, en 1960, el excedente de importaciones alcanzó un monto de 447 millones de dólares, y en 1961, 335 millones de dólares, que con excepción de 1957 y 1958 (también años de depresión en México) son los más altos de 1953 a 1963. Es alarmante el excedente de importación de 1964: 471 millones de dólares. Pero

[5] Cifras de Nacional Financiera, S. A., *La economía mexicana en cifras, 1966*, cuadros 123 y 125, y Banco Nacional de Comercio Exterior, S. A., *6 años en el comercio exterior de México*, pp. 234 y 238.

en 1971 y 1972, como ya lo hemos comentado, el saldo negativo crece todavía más: llega a 932.8 millones de dólares en el primer año citado y a 1 123.1 millones de dólares en 1972, debido al aumento de las importaciones en este último año. Las cifras de los saldos negativos de 1970, 1971 y 1972 son las más altas en los últimos 38 años de la economía en México (ver gráfica 7).

En conclusión, podemos admitir que el desarrollo económico de México sufrió los efectos restrictivos de las depresiones de Estados Unidos en 1958, 1961 y 1971 y que todavía hay una correlación entre las fluctuaciones del comercio exterior y la actividad económica interna que mide la dependencia de la economía mexicana (ver cuadro XIII).

LA RELACIÓN DE INTERCAMBIO

Es conveniente considerar, aunque sea brevemente, este aspecto por la importancia que tiene sobre el desarrollo económico.

La relación de intercambio es la relación entre los precios de exportación e importación en el comercio exterior de un país. Guarda estrecha relación con la capacidad de importar de dicho país. Podemos afirmar que la mejoría de la relación de intercambio representa un factor estimulante del desarrollo comparable al aumento de productividad o a un aumento de población económicamente activa que acrecienta la disponibilidad de divisas para la compra de bienes de capital y estimular el desarrollo. En cambio un deterioro de la relación de intercambio frena el desarrollo, porque lo encarece.

Pues bien, la relación de intercambio exterior de México, desde el año de 1934, muestra un descenso con muchas oscilaciones, logrando estabilizarse hasta 1960, aunque a niveles inferiores a los años anteriores. Haciendo igual a cien el año de 1937, la relación de intercambio se mantiene inferior a ese nivel en las dos primeras décadas del período que estamos analizando. Igual sucede con la capacidad para importar. Existen años, como 1941, de verdadera depresión en que la capacidad para importar, 59.4, llega a ser casi la mitad de 1937, 100. En cambio a partir de 1960 y con base en este año, la relación de intercambio tiende a estabilizarse aunque a niveles inferiores a 1950.[6]

El hecho es que este fenómeno constituye un poderoso freno para el desarrollo económico de México.

LOS PRÉSTAMOS DEL EXTERIOR

En estas circunstancias y en vista de que el saldo desfavorable de la balanza comercial es cada vez más amplio, que las importaciones se aceleran por el mismo desarrollo y la relación de intercambio no mejora en forma conveniente, México ha tenido que acudir al auxilio de los fondos extranjeros. Si bien es cierto que la afluencia de éstos ha sido cada vez mayor desde 1960 hasta la fecha, la verdad es que llegan en forma muy irregular, oscilando en forma brusca, mientras que los pagos de intereses suben en forma persistente, haciendo que el aporte neto a la capacidad de compra externa sea muy irregular, al grado que en sólo seis años, 1960 a 1965, fluctúa de menos nueve millones de dólares en 1962 a 387 millones de dólares en 1964 y vuelve a bajar a menos 138 millones de dólares en 1965.[7]

¿HA LLEGADO MÉXICO AL LÍMITE DE ENDEUDAMIENTO?

Un rápido análisis de los principales renglones de la balanza de pagos de México nos hace ver con meridiana claridad que estamos ya en condiciones

[6] Véase: *Estudio económico de América Latina*, Naciones Unidas, 1949, cuadro 4-A, p. 424; 1955, cuadro 18, p. 19, y 1963, cuadro 29, p. 47.

[7] *Estudio económico de América Latina*, Naciones Unidas, 1966, cuadro 50, p. 91.

apuradas para continuar por el camino del endeudamiento para resolver los problemas de la balanza de pagos, que no expresan más que profundos desequilibrios de fomento. Con cifras del Banco de México y del Banco Nacional de Comercio Exterior, hemos elaborado un cuadro donde vemos la relación entre los ingresos provenientes del sector externo y los pagos que México hace a dicho sector. Los ingresos del sector externo están constituidos por la suma de las exportaciones, el turismo al interior y el fronterizo y la afluencia neta de fondos extranjeros; los pagos al exterior los constituyen las importaciones, el turismo que va al exterior y el de la zona fronteriza así como los pagos de intereses, de préstamos y utilidades de la inversión extranjera. El resultado del análisis de dichas cifras nos conduce a la conclusión de que México está llegando rápidamente a los límites máximos de su capacidad de endeudamiento porque la brecha entre los pagos y los ingresos se ha ampliado en los últimos años. Por ejemplo, en 1960 recibimos del exterior por estos conceptos 1 453.7 millones de dólares y pagamos en ese mismo año 1 638.5, o sea, que hubo una diferencia en contra de: 184.8 millones de dólares, mientras que en 1965 pagamos 2 312.2 millones de dólares, con un ingreso de 2 097.1 millones de dólares, siendo la diferencia de 215.1 millones de dólares (ver cuadro XIII). En los otros años los pagos al exterior representan más del 90 % y en dos años —1962 y 1963— el 99 y el 95 % respectivamente de los ingresos.

En la actualidad la capacidad de endeudamiento de México ha seguido disminuyendo, ya que en 7 años, de 1966 a 1972, los egresos superaron a los ingresos en todos los años con excepción de 1969. En algunos, como 1968 y 1970, los pagos al exterior representan el 112 y el 116 % de los ingresos respectivamente (ver cuadro XIV).

CAPÍTULO V

DESARROLLO ECONÓMICO FLUCTUANTE

Como lo hemos apuntado en el capítulo anterior al analizar las fluctuaciones del comercio exterior que explican la dependencia de la economía mexicana, vimos que registra oscilaciones que afectan profundamente al desarrollo económico. Como en cualquier economía tales oscilaciones son movimientos de tendencia, fluctuaciones estacionales y cíclicas, que ya han sido analizadas en otras publicaciones del autor.[1] Pero el mayor impacto se deriva de las fluctuaciones cíclicas. Podríamos afirmar que México muestra claramente un desarrollo económico cíclico. El ciclo es la forma característica del desarrollo económico. En forma evidente observamos que, desde las primeras décadas de este siglo, el desarrollo de la economía mexicana se acelera en las fases de prosperidad de la economía norteamericana, y se retrasa en la depresión. Así crecimos rápidamente en el período 1939-1945, que coincide con la prosperidad de guerra norteamericana; tuvimos una devaluación en 1948, que fue provocada por la depresión norteamericana de once meses (noviembre de 1948 a octubre de 1949), y nuevamente registramos un crecimiento rápido (tasa superior al 6 % anual) con la prosperidad norteamericana de 14 meses (julio de 1953 a agosto de 1954). Sin embargo, esta asociación con la prosperidad de nuestros vecinos del norte parece haberse acabado a partir de 1955 en que la economía norteamericana ha mantenido una vigorosa prosperidad (con excep-

---

[1] Véase: *Ciclos económicos y política de estabilización*, Siglo XXI, 1967, cap. primero, pp. 6-15, y Apéndice: "La situación actual de la economía mexicana. Desarrollo económico y fluctuaciones cíclicas", pp. 291-321, y *Ensayos sobre desarrollo económico y fluctuaciones cíclicas en México*, Universidad Nacional Autónoma de México, México, 1966, pp. 69-94 y pp. 155-181.

ción de pequeños recesos en 1958 y 1961) mientras que la tasa de desarrollo económico mexicano ha bajado a 1.8 % anual en promedio de 1957 a 1967 contra un promedio de 2.2 % de 1935 a 1967. El crecimiento del PNB *per capita* también comprueba lo anterior, ya que en 37 años, de 1934 a 1970, creció en promedio a una tasa anual de 3.5 %, mientras que en los últimos 14 años, de 1957 a 1970, creció a una tasa media anual de 3.2 %.

En cambio, las depresiones de la economía norteamericana nos siguen afectando seriamente, como sucedió en 1971 en que el crecimiento del PNB en términos reales de México sólo fue de 3.6 %, la tasa de desarrollo de 2.2 % y el PNB real *per capita* de 0.2 %.

A partir de la gran depresión encontramos ocho ciclos que condicionan en forma definitiva el desarrollo económico de México. Tales son:

1] La gran depresión, 1931-1932.
2] El ciclo del régimen cardenista, 1935-1941.
3] El ciclo de la segunda guerra mundial, 1942-1949.
4] El ciclo del crecimiento de posguerra, 1950-1955.
5] El ciclo del crecimiento moderado, 1956-1959.
6] Otro ciclo del crecimiento moderado, 1960-1963.
7] El ciclo de la aceleración del crecimiento, 1964-1967.
8] La depresión de 1971.

Una manera de tener una visión panorámica de dichos ciclos económicos es observando la gráfica de las fluctuaciones cíclicas del ingreso real por habitante (cuadro xv).

Veamos con más detalle cómo se presentan estos siete ciclos económicos y cómo han afectado al desarrollo económico.

LA GRAN DEPRESIÓN, 1931-1932

A partir de esta fecha la economía de México se

liga a las fluctuaciones de origen externo. Sabido es que esta depresión afectó a la mayoría de los países civilizados.

Con mayor precisión, constituye el primer ciclo completo de la economía mexicana que ha sido posible medir y que comprende los años de 1929 a 1934.

Este ciclo se caracteriza por una breve prosperidad en el año de 1929, una depresión profunda que se inicia en 1930, llega a su punto más bajo en 1931 y a principios de 1932, y una recuperación que empieza desde fines de este último año, se mantiene en 1933 y cobra impulso en 1934.

Dicho ciclo, el primero que registramos en el período que venimos analizando, es típicamente un ciclo generado por factores de origen externo, pero debemos señalar dos fuerzas de origen interno que influyeron sobre el mismo: por una parte, las malas cosechas de 1929 y 1930 y por la otra la política hacendaria que siguió el régimen hasta la reforma monetaria de 1932. Las malas cosechas fueron factores decisivos para acentuar la depresión; la producción de maíz y frijol disminuyó seriamente al grado que tuvieron que hacerse fuertes importaciones del primer producto en 1930. La política deflacionista que siguió el régimen hasta antes del abandono del patrón oro acentuó la depresión y llevó al país a una situación angustiosa, ya que esta política se seguía cuando, por factores cíclicos, se reducían también los gastos del Estado. La restricción llegó a tales extremos que no sólo se redujeron las erogaciones en obras públicas, sino que se creyó conveniente disminuir los sueldos y emolumentos que percibían los empleados públicos. Esta deflación monetaria, a juicio de Alberto J. Pani, secretario de Hacienda que luchó contra ella, causó más daños al país que dos rebeliones militares que acababan de pasar.[2]

Por otra parte la situación monetaria anárquica y sumamente rígida, puesto que persistía en reali-

[2] A. J. Pani, *Tres monografías*, "La política hacendaria del nuevo régimen", pp. 155 y 156. El autor se refiere a la asonada delahuertista y a las rebeliones de los generales Gómez y Serrano, y, después, del general Escobar. *Op. cit.*, p. 152.

dad un régimen de moneda metálica basada en la plata, muy depreciada, vino a acentuar la depresión.

Sin embargo, si estos factores hicieron la situación más difícil, sirvieron también para hacer sentir la necesidad de un cambio radical. Así surgió la reforma monetaria en 1932 puesta en vigor por Pani. Esta política atinada preparó el terreno para la recuperación de origen externo.

Tanto en la depresión de 1932 como en la recuperación que le siguió, se observa con gran claridad el mecanismo de trasmisión de las fluctuaciones cíclicas de Estados Unidos al país. Este mecanismo es el siguiente: los cambios en el ingreso nacional de Estados Unidos se traducen en variaciones en su coeficiente de importaciones, principalmente materias primas, ya que el ciclo económico afecta rápidamente al sector industrial. Esto significa cambios en las exportaciones de México, hacia arriba cuando hay prosperidad en el país importador y hacia abajo cuando hay depresión. De esta manera la depresión de 1932 en Estados Unidos significó para México un derrumbe en los precios de exportación de sus principales productos vegetales y minerales. Bajaron bruscamente los precios del algodón, del henequén, el garbanzo y el tomate, entre los primeros, y, entre los segundos, el de la plata principalmente y de los metales industriales. La repercusión interna se difundió rápidamente por conducto de una disminución en el ingreso de los agricultores y de todos los sectores conectados con las industrias de exportación.

Por otro lado, la reducción del comercio exterior y los serios desniveles en la balanza de pagos derivados del hecho observado en los países subdesarrollados, que durante una depresión las exportaciones tienden a disminuir en mayor cuantía y con mayor rapidez que las importaciones, produjo una seria reducción de las reservas totales del sistema bancario mexicano, con todas sus consecuencias restrictivas de carácter monetario.

Por último, la gran dependencia que se observaba en México en ese entonces entre su hacienda pública y los impuestos al comercio exterior es un hecho que agrava la depresión o estimula la recuperación. Los ingresos totales de la hacienda pública bajaron de 322.3 millones de pesos en 1929 a 211.6 millones de pesos en 1932.[3]

El período de la historia de México que abarca la gran depresión corresponde a los gobiernos de Portes Gil, Ortiz Rubio y Abelardo Rodríguez, es decir, de 1928 a 1934. La obra constructiva iniciada por el general Calles y la creación de importantes instituciones como el Banco de México, a pesar del grave conflicto religioso, dieron la tónica a los gobiernos que le siguieron. Algunos párrafos del mensaje leído por el Lic. Portes Gil, después de otorgar la protesta como presidente, el 1º de diciembre de 1928, expresa muy bien las condiciones reinantes en aquel entonces. Se tenía en mente la mejoría de los obreros y los campesinos quizá por la situación de abandono y pobreza en que se encontraban. Dice Portes Gil:

> Y ahora ya sabemos que los esfuerzos realizados en beneficio de los obreros no sólo no perjudican al industrial progresista y bien intencionado, sino que mejoran las condiciones generales de la producción y aseguran el desarrollo industrial del país, y el progreso intelectual y económico de los laborantes y de los gremios obreros.
>
> Y sabemos también que es un imperativo inaplazable mantener a los campesinos en la posesión de sus tierras y continuar el programa agrario de acuerdo con la ley, para poder crear una clase rural, libre y próspera que sirva inclusive de acicate a la retardataria técnica del latifundista, quien al no disponer de asalariados paupérrimos tendrá que hacer evolucionar sus métodos de cultivo, con ventajas indudables para el mismo propietario y para la economía general del país.[4]

Encontramos también alusiones a la política equivocada de Calles de introducir un "severo

---

[3] Cuentas de la Hacienda Pública Federal.
[4] *México, 50 años de Revolución. III. La política,* "Sentido y destino de la Revolución mexicana", E. Portes Gil, p. 555.

plan de economías", cuando lo que hacía falta era estimular los gastos:

> La terrible angustia de luchar en condiciones de las más adversas impidió que las adminis-traciones anteriores pudieran afrontar este problema que hoy expongo. El general Obregón tuvo bastante con sujetar las ambiciones de quienes creyeron que la Revolución se hizo para cambiar de amos, y admira cómo pudo todavía fincar tan honda e indestructiblemente las bases sobre las cuales están consumándose las conquistas reivindicadoras anheladas por el pueblo mexicano. El general Calles hizo bastante con marcar el sendero de la depuración admi-nistrativa al introducir su severo plan de eco-nomías.[5]

EL GRAN IMPULSO DEL RÉGIMEN CARDENISTA, 1934-1940. LAS BASES DEL DESARROLLO ECONÓMICO

A partir del régimen cardenista, podemos obser-var que las características dinámicas de la econo-mía de México se deben a dos clases de fuer-zas: unas que generan un movimiento claramente ascendente y que constituyen propiamente lo que se llama desarrollo económico y otras que produ-cen fluctuaciones a corto plazo y que se marcan perfectamente en los ciclos de 1932, 1938, 1940, 1945, 1949, 1953, 1958, 1961, 1965 y 1971. Si trazára-mos una gráfica de largo alcance podríamos repre-sentar el desarrollo económico de México por una línea de fluctuaciones cíclicas de 1934 a 1972[6] (ver gráfica 14).

Desde luego podemos localizar cuatro grupos de causas que han impulsado dicho desarrollo desde la época cardenista hasta la fecha:

1] La inversión en obras públicas.

[5] *Op. cit.*, p. 556.
[6] Enrique Padilla Aragón, *Ciclos económicos y polí-tica de estabilización*, Siglo XXI, México, 1967, p. 7, gráfica 1.

GRÁFICA 14

Fluctuaciones cíclicas del ingreso real por habitante (1929-1972)

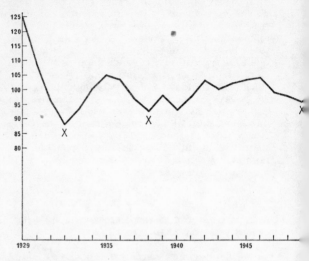

2] El crecimiento de la población.
3] El aumento de las exportaciones, y
4] La acumulación de capital privado.

Dentro de este desarrollo, como hemos dicho, las fluctuaciones cíclicas representan aceleraciones o retrasos. Durante la fase de prosperidad se acelera el desarrollo y en la depresión baja la tasa de crecimiento (ver cuadro XII).

En la historia de México encontramos un segundo ciclo que coincide casi con el régimen cardenista. Se extiende de 1935 a 1941 y se caracteriza por la aparición de nuevos factores, principalmente de carácter interno, sin que desaparecieran las fuerzas externas.

Desde luego, debe anotarse el rumbo distinto que tomó en México la política monetaria. Si esta última hasta 1935 se propuso, siguiendo la expresión de Pani, hacer cesar la deflación sin caer en la inflación, a partir de este último año, de anti-deflacionista se convirtió en inflacionista. Las

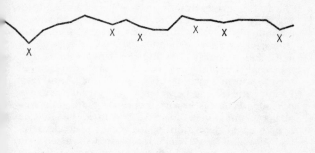

obras públicas empezaron a financiarse con dinero nuevo. Se inicia vigorosamente el crecimiento rápido de la economía del país, que no ha sido igualado hasta la fecha. En el período 1934-1940, el producto nacional bruto a precios de 1950 aumentó a una tasa media anual de 4.8 %, y debido al moderado crecimiento de la población (1.7 % anual), la tasa de desarrollo fue de 2.8 %; la más alta en el período de 35 años que estamos analizando y la tasa del PNB *per capita* real fue de 3.1 %, que también es una de las más elevadas (ver cuadro III). La inflación comienza, los precios empiezan a subir a saltos, y hay que pagar el primer abono al precio de esta política: ocurre la cuarta devaluación del tipo de cambio en 1938. La tercera había ocurrido en 1931, la segunda en 1914 y la primera en 1904.

Por otra parte, aparecen ciertos factores sociales que dan una conformación especial a este ciclo. Es la época en que el reparto agrario llega a su culminación, y en que se realiza la expropiación petrolera. El reparto agrario, aunque beneficioso a largo plazo, afectó la producción agrícola a corto plazo. Las cifras revelan un descenso persistente en la superficie cosechada, la producción y los rendimientos del maíz hasta 1936; de frijol en 1937; del trigo en 1937 y 1938 y del algodón y el henequén en 1938.[7] Las huelgas y otros conflictos obreros fueron otros tantos factores accidentales de perturbación cíclica.

En el exterior, dos hechos de importancia influyeron en la economía de México: en la recuperación de 1935, la política platista del presidente Roosevelt, y en la depresión de 1938, la baja de la actividad económica de Estados Unidos en el mismo año. Los factores externos actuaron por el mismo camino ya descrito en el ciclo anterior. El auge de 1935 se caracterizó por un aumento sin precedente de las exportaciones de plata y de materias primas vegetales. Al contrario de lo que ocurre en la depresión en los países poco desarrollados, en el auge, las exportaciones crecen con mayor ritmo que las importaciones haciendo que suba el saldo de la balanza comercial y de pagos. Aumentan las reservas del sistema bancario y, por ende, la circulación monetaria.[8]

Es importante señalar que este ciclo se vio condicionado por el fuerte estímulo dado a la política de obras públicas del Estado. El gasto en obras públicas iniciado con vigor en 1935 ascendió de 39 millones de pesos en ese año a 83 millones de pesos en 1938. El aumento fue de un 215 %, mientras que los egresos totales del gobierno sólo aumentaron en un 167 %. Los gastos se realizaron principalmente en caminos.

[7] *Serie Estadística de la República Mexicana*, boletín núm. 257 de la Secretaría de Agricultura y Ganadería.

[8] En 1935 las exportaciones subieron a 429 millones de pesos de 364 millones de pesos registrados en 1934, mientras que las importaciones sólo aumentaron de 335 millones de pesos en este último año a 383 millones de pesos en 1935. 65 millones en el primer caso y 48 en el segundo. Las reservas se duplicaron de 1934 a 1935 habiendo pasado de 146 millones de pesos en el primer año citado a 313 millones de pesos en el último (cifras del Banco de México, S. A.).

Conviene hacer de paso algunas reflexiones sobre la política de obras públicas en México, que en esa época inicia su crecimiento vigoroso. La característica general de las obras públicas en México, desde su origen, es que son obras para el desarrollo económico y no con fines anticíclicos. Eso estuvo muy bien mientras la inflación no pasaba de ciertos límites; creo que en la actualidad debe revisarse este criterio y poner algunas limitaciones a la naturaleza cíclica de las obras públicas, limitaciones que, desde luego, pueden ser congruentes con la política de desarrollo económico.

EL CICLO DE LA SEGUNDA GUERRA MUNDIAL, 1942-1949

En este período encontramos un tercer ciclo perfectamente delimitado que comprende los años de 1942 a 1949. Es la época del gobierno del general Ávila Camacho y de la primera mitad del Lic. Miguel Alemán y que culmina con la depresión de 1948 y 1949 que se expresó en la quinta devaluación del peso mexicano en el segundo año citado.

Podríamos denominar este tercer ciclo el ciclo de la guerra, ya que fue la segunda guerra mundial la causa generadora del mismo. Una guerra exterior que deciden potencias mundiales siempre representa un gran estímulo para las economías dependientes. Sólo por un hecho muy sencillo: la guerra les permite acumular cuantiosas reservas que pueden aprovechar para dar un gran impulso a su desarrollo económico.

El ciclo que ahora vamos a analizar se distingue de los anteriores por dos características fundamentales. Primero, es el ciclo que muestra la fase de prosperidad más prolongada de todos cuantos ha habido en México. Fue un auge que duró prácticamente de 1942 a 1945 y en el que la economía del país tocó los linderos de la ocupación plena. Si a este período unimos la fase de recuperación del ciclo anterior, tendremos una etapa prolongada de desenvolvimiento de 1939 a 1945, en que la economía de México creció y se transformó, como nunca lo había hecho en períodos más largos. El producto nacional bruto a precios de 1950 alcanzó tasas hasta del 13 % anual en 1942, que jamás se han repetido en la economía mexicana, y como el aumento de la población no era muy alto (2.7 %) la tasa de desarrollo alcanzó niveles cercanos al 5 % (cuadro ɪ). Aquí se comprueba en forma evidente mi tesis de que mientras más larga y sostenida sea la fase de prosperidad del ciclo, mayor será la tasa de desarrollo.

Segundo, es el primer ciclo de la economía de México en que ya empiezan a observarse características modernas. Es decir, en la fase ascendente hay aumento de ocupación en el sector industrial y en la fase descendente hay baja de precios y disminución de ocupación.

Todos los factores que son capaces de provocar un auge actuaron en esta ocasión. Aumentaron las exportaciones y se vieron limitadas las importaciones; la política continuó siendo inflacionista, llevando la creación de dinero de origen interno a sus puntos máximos, y, a partir de 1941, con el régimen del general Ávila Camacho, se instauró una política deliberada de industrialización. En este caso, como nunca, se unieron vigorosos factores externos e internos para provocar la fase de prosperidad.

Es interesante señalar que durante este ciclo se produjeron algunos cambios estructurales en la economía de México. Unos provocados por la última guerra mundial, y otros por el mismo crecimiento interno del país.

La guerra abrió nuevos mercados a diversos productos manufacturados de origen nacional, principalmente los artículos derivados de la industria textil. El resultado fue un gran estímulo para las industrias nacionales aumentando la producción y el volumen de ocupación en muchas de ellas. El hecho se reflejó en un cambio fundamental en la importancia relativa de los productos de exportación del país. A partir de 1941 se observa un poderoso desarrollo de las exportaciones de productos manufacturados, al grado de que para 1945 las exportaciones de manufacturas ocupaban el primer lugar entre las exportaciones totales de mercancías. En cambio los minerales tendían a

estancarse, y el petróleo mostraba una franca decadencia.

Son dos los principales cambios estructurales
atribuibles al crecimiento del país en estos años:

a] El cambio en la composición de la circulación
monetaria que se observa a partir de 1940.
Antes de ese año y probablemente hasta
1933, el medio circulante se componía: en
primer lugar de moneda metálica, después
de cuentas de cheques y por último de billetes. Desde 1940, el orden que se ha mantenido
es el siguiente: primero cuentas de cheques,
después billetes y por último moneda metálica. El hecho se traduce, desde luego, en una
mayor elasticidad de la oferta monetaria,
favoreciendo, por ende, el desarrollo de la
fase ascendente del ciclo y el crecimiento de
la economía del país.

b] El cambio en la importancia relativa de los
diversos impuestos como medios de recauda-
ción. El impuesto sobre la renta, que en 1941
estaba abajo de los impuestos a la importación, a la exportación, a la industria, y del
timbre, en 1945 los había superado a todos,
colocándose desde entonces, y hasta la fecha,
en primer lugar. Esta nueva estructura fiscal tiene una gran importancia para la economía del país. El hecho de que ahora sean
las actividades internas las que contribuyen
en mayor proporción al erario hace que
éste dependa menos de las fluctuaciones del
comercio exterior.

El fin de la guerra, como era de esperarse, pone
término a la prosperidad

Examinamos a continuación el período comprendido del año de 1946 a 1949, en el que se reflejan en
la economía de México síntomas de una baja de
la actividad económica, producida principalmente
por factores externos, sobre todo en los años de
1946 y 1947.

Los factores externos actuaron por conducto de
la balanza de pagos, reflejándose en los saldos
de la misma (ver cuadro XVI).

Las reservas disminuyeron seriamente en los

años de 1946 y 1947, aunque debemos tomar nota que ya desde 1944 se registraba un serio desequilibrio en la balanza de pagos de México. Seguramente el factor decisivo de este desequilibrio fue la satisfacción de la demanda diferida interna de posguerra, que constituyó un fuerte estímulo de las importaciones mexicanas, y la baja de la actividad económica de Estados Unidos, principalmente el año de 1947, lo cual influyó seguramente en la disminución de las exportaciones de México que, como se sabe, guardan una estrecha relación con los cambios del ingreso nacional de ese país. En las gráficas 6 y 7, se ve con toda claridad el fuerte crecimiento de las importaciones de 1945 a 1947 frente a un aumento menor de las exportaciones.

Seguramente que el desequilibrio de la balanza de pagos se vio afectado por las salidas de capital a corto plazo, ya que desde 1944 se observa un signo negativo en este renglón, habiendo variado las cifras: —18.4 millones de dólares en 1944, hasta su máximo que fue de —39.2 millones de dólares en 1946 y —32.2 millones de dólares en 1949.

EL CICLO DE CRECIMIENTO DE POSGUERRA, 1950-1955

En el período que se inicia en las postrimerías del régimen alemanista hasta el final del gobierno de Ruiz Cortines, se registran dos etapas bien marcadas en la economía mexicana: una de fuerte crecimiento que comprende los años de 1950 a 1955 y otra que se inicia a partir de 1956, caracterizada por un crecimiento moderado que, en algunos años, tiene todas las características de un estancamiento económico.

Los años de mayor prosperidad en este período muestran saldos negativos pequeños de la balanza comercial, con excepción del año de 1953, que registró una baja notable de la actividad económica nacional, con un fuerte saldo negativo de la balanza comercial que señala el antecedente más visible de la devaluación de 1954 (el excedente de importaciones fue de 249 millones de dólares).

Además, los factores externos no sólo se observan en la balanza comercial, sino en otros renglones quizá tan importantes como los de esta última y que están constituidos por la cuenta de viajeros y los movimientos de capital. El turismo, dentro de la cuenta de viajeros, permitió un desarrollo espectacular de la prosperidad en México en los años de 1950 a 1955, ya que de 186 millones de dólares en 1949, ascendió a 380 millones de dólares en 1955 [9] (ver cuadro XVIII).

En algunos casos, los movimientos de capital también han contribuido al estímulo de la actividad económica de origen externo, sobre todo en condiciones prebélicas, aunque dado lo aleatorio de estos movimientos, su impacto en la economía mexicana tiende a neutralizarse por la misma salida rápida de fondos.

En consecuencia, el producto nacional bruto muestra también vigorosos aumentos a partir de 1950 (ver cuadro I). En términos reales, muestra un ascenso permanente con una tasa media anual superior al 7 %, con excepción de 1952 y 1953, que como ya hemos dicho fueron años de depresión. Los años en que los aumentos del producto nacional bruto son más notables están representados por 1950 y 1954, en que alcanza niveles que no se han presentado hasta la fecha (1972).

A pesar de que la población subió de una tasa anual de 2.7 % en 1950 a 3.1 % en el período 1951-1955, la tasa de desarrollo se mantuvo a un nivel bastante alto (3.8 % en 1950 y 3.4 % en 1964).

Los tres indicadores del fuerte crecimiento de este período nos dan las siguientes cifras:

	Tasa media anual %
Crecimiento del producto nacional bruto a precios de 1950	6.9
Crecimiento de la población	3.1
Desarrollo económico	2.3

[9] Nacional Financiera, S. A., *La economía mexicana en cifras*, México, D. F., 1966, cuadro 133, p. 255.

Dicho crecimiento se vio afectado por los efectos depresivos del ciclo de la economía norteamericana de julio de 1953 a agosto de 1954, con una duración de 58 meses. En este caso volvemos a confirmar nuestra aseveración de que la prosperidad o la depresión del ciclo aceleran o retrasan el desarrollo económico de México. Ese ciclo que acabamos de mencionar hizo que el crecimiento del producto nacional bruto y por ende la tasa de desarrollo bajaran en los años 1952 y 1953 a 1.3 % y 0.2 %, respectivamente (cuadro i).

EL CICLO DEL CRECIMIENTO MODERADO, 1956-1959, Y LA DEPRESIÓN, 1960-1961

Al iniciarse el gobierno del Lic. López Mateos, la economía disminuye su tasa de crecimiento como veremos en seguida: la tasa de desarrollo muestra una baja sumamente sensible a partir de 1955, llegando a su punto mínimo en los años de 1959 y 1961, con una pequeña recuperación a partir de 1963 y 1964 (0.9 % en 1959 y 1.0 % en 1967; ver cuadro i). Según cifras del Banco de México, mientras el producto nacional bruto a precios de 1950 registra aumentos superiores al 8 % anual en 1954 y 1955 y al 6 % en 1956, estas tasas bajan a 3 % anual en 1959 y 1961, que en realidad son años de depresión.

La tasa de crecimiento del 6 % anual del producto nacional bruto en la economía mexicana se presenta de nuevo hasta 1963 y desde entonces parece sostenerse. Pero aquellos incrementos vigorosos que tuvimos en la década de los cuarenta y en 1950, 1954 y 1955 jamás se han vuelto a registrar en la economía mexicana.

En realidad fue un período de crecimiento moderado que se extiende casi durante una década, de 1956 a 1965, y que se vio afectado por tres ciclos económicos de Estados Unidos (1954, 1958 y 1961) que redujeron la tasa anual de desarrollo a 1.8 % en promedio. Quizá no haya período del desarrollo económico mexicano donde se vean tan claros los efectos cíclicos. Como lo hemos estudiado en otra parte,[10] puede llamarse la década del estancamiento económico.

Conviene, pues, investigar con más detalle cuáles fueron las causas que provocaron este descenso de la tasa de desarrollo. De inmediato podemos considerar dos:

Primero, como hemos dicho, factores de origen externo de carácter cíclico que afectaron a la economía de México en los años de 1959 y 1961, y segundo, factores de origen interno que posiblemente sean una respuesta a los factores externos, pero que tienen que ver también con la política de inversión pública y privada.

Los factores externos de origen cíclico se destacan perfectamente cuando analizamos la economía mexicana dentro del grupo de los países latinoamericanos. Observamos que la tasa de crecimiento anual del producto bruto de América Latina, excepto Cuba, disminuye notablemente a partir de 1962, y si hacemos el análisis por períodos, vemos que hay un marcado descenso en la economía latinoamericana a partir de 1955. En el período 1950-1955 la tasa de crecimiento es de 5 %, en 1955-1956 baja a 4.7 %, y en el período 1960-1963, que es francamente depresivo, la tasa de crecimiento bajó a 3.6 %.[11]

Como hemos dicho, la economía mexicana sufre su mayor contracción en 1961, en que la tasa de crecimiento del producto bruto desciende a 3.5 %, mejorando en 1962 y 1963, pero nunca a los niveles de 1950-55 o 1955-56. Prácticamente, la economía mexicana, al recuperarse en 1963, apenas alcanzó el ritmo de desarrollo que mantenía en 1955-56 (cuadro I). En forma evidente, los factores cíclicos de origen externo que deprimieron la economía latinoamericana, sobre todo en el año de 1961, se reflejan en la economía mexicana.

En realidad las economías de los países latinoamericanos fueron víctimas, en la última década,

[10] Enrique Padilla, *Ensayos sobre desarrollo económico y fluctuaciones cíclicas en México*, Universidad Nacional Autónoma de México, México, 1966, "Situación actual de la economía mexicana, 1955-1964", pp. 155-181.

[11] *Estudio económico de América Latina*, Naciones Unidas, 1963, p. 12.

de 1954 a la fecha, de tres ciclos registrados en la economía norteamericana. Dichos ciclos se inician en julio de 1953 y terminan en febrero de 1961, con duraciones de 34 a 58 meses.

En la economía mexicana se registran los impactos de las depresiones norteamericanas en los años de 1959 y 1961, en que la tasa de desarrollo desciende a 0.9 % en el primer año y a 1.0 % en el segundo año citado (cuadro I).

Como consecuencia de estos factores de origen externo, la economía mexicana sufrió efectos depresivos en dos determinantes básicos de la ocupación y el desarrollo: las exportaciones y la inversión privada. Sobre todo en esta última.

Por fortuna la inversión pública consistente en obras públicas y fomento agropecuario, así como en obras de beneficio social, logró neutralizar, en parte, los efectos depresivos. Sabido es que estos efectos de origen externo se trasmiten a través del comercio exterior que se refleja en la balanza de pagos, como ya lo analizamos en el capítulo anterior.

Las manifestaciones más evidentes de la década del estancamiento económico o del crecimiento moderado, se expresan en la economía mexicana en la forma siguiente:

1] Por un atraso de la agricultura frente a la industria, debido principalmente a que se frena la reforma agraria por cerca de veinte años (desde Ávila Camacho, en 1940, hasta López Mateos, en 1958).

2] Por un aumento de la pobreza en grandes sectores, ya que el crecimiento de la población continúa.

3] Por una gran concentración de la riqueza en pocas manos y el surgimiento de oligarquías: financieras, industriales y comerciales.

4] Por la insuficiencia del ahorro interno y la aceptación resignada de las inversiones extranjeras, como única alternativa de mantener un mínimo de desarrollo.

5] Por la dependencia cada vez mayor del desarrollo.

La historia actual de México está fuertemente condicionada por estos hechos. Para confirmar dichas observaciones, podemos citar el último párrafo del bien documentado estudio de Arturo González Cosío, "Clases y estratos sociales": [12]

> Debemos reconocer que el ritmo de desarrollo y de ascensión de nuestras clases populares en los últimos veinte años ha decrecido y que es problema grave para los gobiernos de la Revolución que México, precursor del movimiento universal de justicia social, pueda quedar a la zaga en un futuro próximo.

EL CICLO DE LA ACELERACIÓN DEL CRECIMIENTO, 1964-1967

En los últimos años parece haber surgido un nuevo ciclo en la economía mexicana cuya fase de prosperidad puede situarse a partir de 1964 y con ligeros titubeos trata de afirmarse en los años de 1967 y 1968. Se manifiesta en un nuevo impulso al crecimiento y al desarrollo económico desde aquel año. Efectivamente el producto nacional bruto a precios de 1950 aumenta en un 10 % en 1964 con relación al año anterior, cifra que no se había registrado desde 1950 y 1954. El resultado fue que la tasa de desarrollo subió a 2.9 % en 1964 con relación a 1.8 % en 1963 (cuadro I). Aunque estos niveles tan altos no se han sostenido en los años recientes, con ligeras oscilaciones la tasa de desarrollo se ha mantenido cerca del 2 % anual, que es muy aceptable y que, con excepción de 1960, no registraba la economía desde 1958.

El hecho más interesante que conviene comentar es que tal aumento de la tasa de desarrollo se ha registrado a pesar del crecimiento tan fuerte de la población. En el bienio 1966-1967, el producto nacional bruto real crece a una tasa anual del 7 %, la población a una tasa del 3.6 % y el desarrollo a una tasa del 1.9 %. En otro capítulo de este trabajo ya hemos comentado el grave peligro que representa para la economía mexicana tan tremen-

[12] *México, 50 Años de Revolución, II. La vida social*, México, Fondo de Cultura Económica, 1961, p. 77.

do crecimiento demográfico si no crece más aprisa el producto nacional bruto.

Los factores que han determinado este renacer del ritmo de crecimiento han sido la inversión del exterior y el turismo, los aumentos recientes de la inversión pública y privada, así como las primeras manifestaciones del cambio de política económica que ya se advierten: hacia el desarrollo del mercado interno.

Como puede observarse en la gráfica 14, en 1971 se registra una nueva depresión en la economía mexicana como repercusión de la depresión norteamericana de ese mismo año. Se manifestó por una disminución del crecimiento del PNB en términos reales, de la tasa de desarrollo y del PNB real *per capita* así como por un fuerte aumento del déficit de la balanza comercial (ver cuadros I y III y gráficas 2, 3, 5, 6, 7 y 8.)

CAPÍTULO VI

DESARROLLO ECONÓMICO DESEQUILIBRADO

Siendo la economía mexicana una economía dependiente y fluctuante, como hemos visto antes, registra desequilibrios de muy diversas clases. Unos que son propios de todo país subdesarrollado y otros que se deben principalmente a la falta de planeación del desarrollo. Todos ellos afectan la estructura de la economía. Los desequilibrios más notables que observamos en los momentos actuales son los siguientes:

1] Desequilibrio entre ocupación e ingreso de la población.
2] Desequilibrio entre la productividad de la agricultura y la industria.
3] El desequilibrio regional.
4] Desequilibrio entre exportaciones e importaciones del comercio exterior.

DESEQUILIBRIO ENTRE OCUPACIÓN E INGRESO

Es propio de todos los países subdesarrollados y tiende a corregirse a medida que un país asciende por el camino del progreso. Pero en un país en la etapa de desarrollo en que se encuentra México pudiera ser menor, si fuera mayor la planeación de su economía [1] (ver gráfica 12 y cuadro VI).

Este tipo de desequilibrio entre ocupación e ingreso eminentemente estructural es quizá el más importante que padece el desarrollo económico de México y explica con toda claridad lo que ya he-

[1] En el capítulo III, con el subtítulo "Hay un gran desequilibrio estructural entre ocupación e ingreso" se hace referencia al mismo tema.

mos analizado: el exagerado desarrollo de la población urbana, el atraso del campo con relación a la ciudad, la gran pobreza de grandes sectores de la población mexicana, lo reducido del mercado para los productos industriales y el alto nivel de desocupación disfrazada.

Antes de que se iniciara el período de desarrollo económico de treinta y ocho años que venimos analizando (1934-1972), en condiciones de atraso, la economía mexicana mostraba el máximo desequilibrio en 1910, con un 72 % de la población económicamente activa dedicada a actividades primarias, produciendo un 28 % de los bienes de la nación; la actividad industrial representaba el 13 % de la población y producía el 20 % de los bienes.

En cambio, el año de 1970, la población dedicada a las actividades primarias se ha reducido de un 72% a un 39.5 % y contribuye con el 11.6 % de los bienes producidos, mientras la población ocupada en actividades industriales subió del 13 % en 1910 al 22.9 % en 1970 y su contribución al producto nacional bruto pasó del 20 % al 34.3 %. Sin embargo, para apreciar este tipo de desequilibrio, la comparación no debe hacerse entre las condiciones de atraso y la situación actual de la economía mexicana, sino entre el momento en que se inicia el desarrollo económico, digamos el año de 1930, y la situación actual. Calculando coeficientes de desequilibrio, o sea el resultado de dividir el porciento del ingreso entre el porciento de la población ocupada en cada actividad, tenemos que el desequilibrio estructural entre actividades primarias e industriales subsiste entre 1930 y 1970 (véanse cuadros VI y VII). En este último año, mientras en las actividades primarias el desequilibrio es casi un tercio de la unidad, en las industriales es de uno y medio. Esto nos lleva a analizar el segundo desequilibrio arriba señalado.

EL DESEQUILIBRIO ENTRE LA PRODUCTIVIDAD DE LA AGRICULTURA Y LA INDUSTRIA

Si en 1970 el 39.5 % de la población económica-

mente activa produjo apenas el 11.6 % del total de
bienes y servicios disponibles en el país, se debe a
la baja productividad de las actividades primarias.

En 1930, al iniciarse el período del desarrollo
económico que estamos analizando, la relación de
la productividad de las actividades primarias a las
del sector industrial era de 1 076 a 6 917 pesos de
1950 por trabajador, respectivamente, mientras que
en 1970 la relación era de 6 767 pesos a 34 371 pesos de 1960 por trabajador en dichos sectores, o
sea que la productividad de las actividades primarias representa en los momentos actuales el 19.7 %,
menos de la quinta parte de la productividad del
sector industrial, y no hay que olvidar que de las
primarias depende el 39.5 % de la población económicamente activa;[2] incluso comparando períodos más cortos se observa que la productividad
de la mano de obra ocupada en actividades primarias disminuyó su incremento sensiblemente. Mientras en el período 1950-60 aumentó a una tasa
media anual de 2.0 %, casi igual a la del sector
industrial (2.1 %), en el período 1960-1964 bajó a
0.5 %, mientras que la del sector industrial creció
a una tasa media anual de 1.9 %.[3]

Según cifras recientes de la Nacional Financiera, S. A.,[4] el producto nacional bruto correspondiente a las actividades primarias aumentó tres
veces y media en 54 años, o sea de 1910 a 1964, en
cambio, el del sector industrial, en el mismo período, subió once veces.

En la última década, de 1960 a 1970, el PNB del
sector primario a precios de 1960 aumentó un 45 %,
mientras el del sector industrial subió el 133 %.

Desde luego esto no significa que la agricultura
no haya aumentado con el desarrollo económico,
lo que afirmamos es que su aumento ha ido a la
zaga del desarrollo industrial. Tal fenómeno puede verse en la gráfica 15.

[2] *La economía mexicana en cifras*, México, 1965, cuadro 9, p. 37; *La economía mexicana en cifras, 1970*,
cuadro 1.7, p. 13, y cuadro 2.7, p. 33.
[3] Banco Nacional de Comercio Exterior, S. A., *México, 1966*, p. 71.
[4] *La economía mexicana en cifras*, México, 1966, cuadro 9, p. 52; *La economía mexicana en cifras, 1970*,
cuadro 2.6, p. 29.

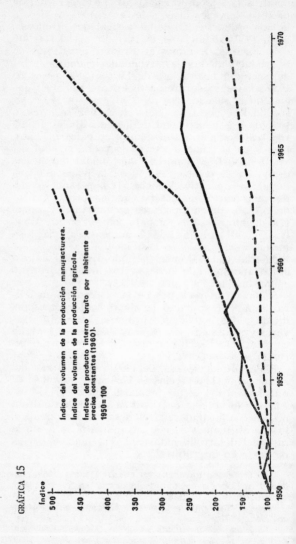

GRÁFICA 15

Índice del volumen de la producción manufacturera.

Índice del volumen de la producción agrícola.

Índice del producto interno bruto por habitante a precios constantes (1960).

1950 = 100

Se observa que, hasta los años de 1957 y 1958, la producción agrícola creció con más vigor que la producción industrial pero, a partir de este año, el crecimiento de la producción industrial supera con creces a la producción agrícola. El fenómeno se debe a la baja de la producción agrícola para exportación a partir de 1955. Mientras la tasa de crecimiento anual de la producción agrícola para consumo fue de 6.6 % en la década 1945-1955, para la exportación fue de 12.9 %; mientras que en la década 1956-1966 la tasa de la producción agrícola para consumo fue de 6.2 % y la de exportación fue de 3.9 %.[5] La verdad es que si comparamos la producción agropecuaria en las dos últimas décadas, 1945-1955 y 1956-1966, observamos que su tasa de crecimiento anual ha bajado tanto para consumo interno como para exportación.

A partir de 1966 la brecha entre la producción agrícola y la producción manufacturera se ha hecho más grande, como puede verse en la gráfica 15. Mientras la producción agrícola permanece prácticamente estancada alrededor de un índice de 227 con base en 1950, en los años de 1966 a 1969, la producción industrial sube de 384 a 496 en los mismos años.[6] De acuerdo con el informe de la Comisión Económica para América Latina, para 1972, la evolución de la producción agrícola en México se presentó de la manera siguiente: como para exportación.

	Tasas anuales de crecimiento (porcientos)		
	1970	1971	1972
Producción agrícola	2.2	2.0	— 2.5
Para exportación	— 3.7	5.2	5.0
Para consumo interno	4.2	1.1	— 5.1

FUENTE: *El Trimestre Económico*, núm. 159, julio-septiembre de 1973, sección Documentos, p. 730.

[5] Ver cuadro 167, p. 219, *Estudio económico de América Latina, 1966*.
[6] Véanse los cuadros 4.1, p. 90, y 5.2, p. 122, de *La economía mexicana en cifras, 1970*, Nacional Financiera, S. A.

Si bien ha habido una recuperación en la tasa anual de crecimiento de la producción agrícola para exportación con relación a la década 1956-1966, todavía las cifras están muy lejos de los niveles de la década 1945-1955.

Este notable atraso de la producción agropecuaria se observa con toda claridad al analizar el producto nacional bruto por ramas de actividad. De 1964 a 1972, las actividades primarias contribuyeron en el producto interno bruto, a precios de 1960, con una tasa media anual de 3.1 %; las industrias con 7.8 % y algunas en particular como la de electricidad con 12.5 % y la de construcción con 8.7 % en promedio. Hubo una disminución de la producción agrícola en los años de 1967, 1969 y 1972 (ver cuadro v). Los fenómenos que se relacionan con este atraso o este desequilibrio se manifiestan por la desocupación disfrazada que existe en el campo e incluso desocupación involuntaria, ya que por término medio los campesinos trabajan la mitad del año; se estima que más de un millón de familias del campo viven a base de una agricultura primitiva y trabajan a lo sumo de 4 a 5 meses por año, con un ingreso medio de menos de 1 200 pesos anuales.[7]

La salida de braceros, que durante la segunda guerra mundial alcanzó la cifra de 2 millones de trabajadores que emigraron temporalmente a Estados Unidos, es otra de las manifestaciones más críticas de la pobreza que reina en el campo.

Ya hemos mencionado las diferencias de productividad del trabajador agrícola y del trabajador industrial. Como hemos dicho, esto no significa que la agricultura no haya progresado durante el desarrollo económico de México, sino que el incremento relativo de aquélla ha sido menor que el de la industria y, al crecer la población en el campo, este aumento se ha traducido en mayor pobreza de dicha población y en una gran emigración hacia la ciudad o hacia el extranjero. Como

[7] Véase, sobre estos aspectos, la conferencia del doctor Edmundo Flores, sustentada el 7 de octubre en el Instituto de Estudios Políticos, Económicos y Sociales del Partido Revolucionario Institucional y publicada en el periódico *El Día*, el 9 de octubre de 1965.

antes lo hemos señalado, hay un tremendo atraso de la agricultura con relación a la industria (ver gráfica 15). La participación de las manufacturas en el producto nacional bruto en los últimos 36 años ha aumentado dos veces y media (de 13.8 % en 1934 a 34.3 % en 1970).[8]

La conclusión que se obtiene de este análisis es que, siendo la población mexicana predominantemente agrícola, al aumentar la población en las últimas tres décadas y media en las proporciones que todos sabemos, y al rezagarse la producción del campo, el crecimiento vigoroso que traía el ingreso real *per capita* de la economía mexicana hasta el año de 1958 disminuye su ímpetu y muestra un crecimiento más lento.

Como todos los hechos que hemos venido señalando, este fenómeno de desequilibrio estructural de la agricultura es sumamente dañino para la economía mexicana y sólo puede corregirse mediante un aumento intensivo de la inversión en la agricultura utilizándose las técnicas más modernas y dentro de un proyecto nacional de planeación agrícola e industrial.

EL DESEQUILIBRIO REGIONAL

Aunque este problema no ha sido muy estudiado por los economistas mexicanos, nos encontramos dos referencias que son suficientes para ilustrar a los lectores sobre el exagerado desarrollo económico de algunas regiones, frente al atraso de otras. De acuerdo con una investigación del Banco de México,[9] el desarrollo de la economía mexicana prácticamente se ha concentrado en 10 entidades de la república, encabezadas por el Distrito

8 Cifras de Nacional Financiera, S. A., *El desarrollo económico de México*, p. 37, y *La economía mexicana en cifras*, México, 1966, cuadro 8, pp. 50 y 51. Para el año de 1970 las cifras del PNB son de *La economía mexicana en cifras, 1970*, Nacional Financiera, S. A., cuadro 2.6, p. 29.

9 Paul Lamartine Yates, *El desarrollo regional de México*, Banco de México, S. A., cuadro 1, p. 36.

Federal y en las que siguen después las entidades de la región norte del país que limitan con Estados Unidos. Parece ser que fuera del Distrito Federal y del estado de México, la industrialización avanza de norte a sur en el territorio nacional, donde se concentran las industrias como en Nuevo León, Chihuahua, Coahuila, Tamaulipas y Baja California Norte. En cambio el resto del país muestra un desarrollo incipiente.

Según datos de Nacional Financiera [10] el valor industrial agregado *per capita* era en 1965 para Nuevo León 4 922 pesos y en el Distrito Federal, 4 046 pesos; les seguían el estado de México con 3 061 pesos, Coahuila con 2 928 y Tamaulipas con 2 227 pesos, mientras que en las entidades menos industrializadas esta cifra era de 183 pesos en Quintana Roo, 223 pesos en Guerrero, 264 pesos en Oaxaca, 369 en Chiapas y 471 pesos en Michoacán. Si tomamos como criterio la población económicamente activa dedicada a actividades agropecuarias, las entidades más pobres registran cifras que casi duplican el promedio nacional, que en 1970 era de 39.5 %, como Chiapas con 72.8 %, Oaxaca con 71.6 % y Guerrero con 62.2 %. Las entidades más ricas registran cifras elevadas de la población económicamente activa dedicada a la industria que superan el promedio nacional de 22.9 %, como Nuevo León con 37.5 %, el Distrito Federal con 36.7 % y el estado de México con 32.5 %.

La concentración del desarrollo económico en sectores tan reducidos, aparte del serio desequilibrio estructural que representa, se traduce en afluencia de población del campo a esas entidades, desarrollando en forma exagerada determinados centros urbanos con todos los consiguientes problemas de tipo social y económico; crecimiento de la desocupación disfrazada en dichos centros urbanos; aumento de precios de los artículos de consumo y de las materias primas necesarias para la industria, así como exceso de inversión en determinadas ramas industriales que afecta la lucratividad de las empresas.

[10] Nacional Financiera, *El Mercado de Valores*, número 11, 13 de marzo de 1972.

Pero el problema más grave que se deriva de este desequilibrio del desarrollo económico consiste en que el aumento de producción de las industrias instaladas en las regiones altamente desarrolladas se ve limitado por el crecimiento lento o la falta de crecimiento del mercado en los sectores poco desarrollados o en las áreas oscuras de la economía mexicana, donde todavía se vive una economía feudal. Insistimos en que el freno más poderoso que limita el crecimiento de la economía mexicana se encuentra en la falta de desarrollo económico de grandes regiones del país con poder de compra insignificante y que padecen una situación de subconsumo permanente.

Algunos estudios realizados por instituciones privadas, como el Banco Nacional de México,[11] confirman la aseveración anterior. De acuerdo con estos estudios, existe una gran disparidad en el desarrollo de la producción industrial en el país. Si tomamos como base el valor de las manufacturas en 1960, se observa que seis entidades, Chihuahua, Coahuila, Nuevo León, estado de México, Veracruz y el Distrito Federal, representaron el 62.09 %, mientras que su población representaba el 36.4 % del país. En cambio otras 16 entidades costeras, con el 39.6 % de la población nacional, representaron únicamente el 29.05 % de la producción manufacturera.

Hay una correlación directa entre este desequilibrio estructural del desarrollo económico de México y las condiciones del nivel de vida de la población mexicana. Por ejemplo, si analizamos las características de alimentación y calzado de la población urbana y rural mayor de un año, por entidades federativas, que consigna el censo de 1970, encontraremos que las entidades más industrializadas muestran los más altos niveles de vida. En todas estas entidades, Baja California, Coahuila, Chihuahua, Distrito Federal, Jalisco, México, Nuevo León, Sonora y Tamaulipas, más del 60 % de la población come pan de trigo y consume uno o más alimentos básicos, como carne, pescado, leche y huevos y usa zapatos. En algunas entida-

<hr>

[11] Véase: *Examen de la Situación Económica de México*, vol. XLI, núm. 478, septiembre de 1965.

des como el Distrito Federal, Baja California y Sonora, donde está comprobado que la población tiene los más altos niveles de vida del país, estos porcentajes de los tres indicadores que hemos mencionado llegan hasta el 95 % de la población.

Ahora veamos lo que se refiere a las regiones pobres representadas por aquellas entidades en las que la fuerza de trabajo se dedica con preferencia a la agricultura, como Guerrero, Zacatecas, Chiapas, Oaxaca, Tabasco, Michoacán, Hidalgo, Durango, Querétaro, Tlaxcala. ¿Cuáles son las características del nivel de vida de esta población? Según dicho censo, las entidades más pobres del país, que constituyen en realidad la zona oscura del desarrollo económico, muestran los más bajos niveles de vida y en todas ellas la mitad de la población no come pan de trigo o no consume los alimentos básicos como carne, pescado, leche y huevos y en algunos casos el 38 % y el 51 % de la población anda descalza: en Oaxaca y Tabasco respectivamente.

Como siempre, aquí llegamos a las conclusiones amargas a que llegan todos cuando examinan a fondo la economía de México: que nuestro nivel de vida es todavía muy bajo puesto que tenemos 11 millones de personas, o sea la tercera parte de la población, que no comen pan de trigo y cerca de 5 millones de personas que andan descalzas.[12]

La realidad es que si el desarrollo económico se impulsara en las zonas atrasadas, mediante la planeación regional adecuada, podría aprovecharse del poder de compra de cerca de 15 millones de habitantes, que potencialmente permanecen en las zonas oscuras que no crean demanda de los productos industriales producidos en las zonas adelantadas.

Aquí es conveniente llamar la atención sobre un hecho muy generalizado, cuando se habla del desarrollo económico de México; casi siempre se afirma que el problema se resuelve con mayor industrialización, sin decir cómo y dónde se hará esa industrialización. La verdad es que si esa in-

[12] Véase: "Características de alimentación y calzado de la población urbana y rural mayor de un año por entidades federativas", censo de 1960.

dustrialización se planeara para integrar esas zonas atrasadas de la economía mexicana, podría darse un impulso notable y muy vigoroso a la tasa de desarrollo que actualmente registra México.[13]

DESEQUILIBRIOS DEL COMERCIO EXTERIOR

Es bien sabido que en la economía mexicana desempeñan un papel de primera importancia en la generación del ingreso los factores de orden externo que actúan por conducto de la balanza de pagos, siendo los renglones activos de la misma creadores de ingreso, y los renglones pasivos canceladores de ingreso. Entre los primeros destacan por su importancia las exportaciones de mercancías, la afluencia de capital y los renglones invisibles y entre los segundos son de primera importancia las importaciones y la salida de capital. Para abreviar señalaremos a los factores externos con el nombre convencional de excedentes de exportaciones. Los excedentes de exportaciones actúan sobre la demanda interior a través de la balanza de pagos y del sistema bancario.

El desarrollo económico de México ha dependido en gran medida, en algunos años, de la influencia derivada de estos factores.

Es conveniente aclarar, antes de hacer el análisis de los cambios estructurales en este sector, los determinantes o condicionantes más importantes que actúan sobre las exportaciones e importaciones de mercancías del país. Brevemente podemos decir que las exportaciones dependen del nivel de la actividad económica externa, o más concretamente del nivel del ingreso de Estados Unidos, que es el principal comprador de mercancías de México. En cambio las importaciones dependen fundamentalmente de la actividad económica interna, o sea de la altura de nuestro propio ingreso nacional, como ya lo hemos analizado antes. Tiene

---

[13] Véase antes, en el capítulo III, "El crecimiento urbano, síntoma de desequilibrio, debe corregirse".

importancia considerar también que en condiciones dinámicas se observa un retraso de las importaciones con relación a las exportaciones, tanto en la fase ascendente como en la descendente del ciclo económico.

Para apreciar los cambios estructurales derivados del factor relaciones externas o excedentes de exportaciones de México, debemos analizar en primer término los saldos en la balanza de pagos que se expresan en las variaciones de las reservas del Banco de México (cuadro XVI).

Independientemente de que durante las fases del ciclo económico —como ya lo vimos— se observan aumentos y disminuciones a corto plazo en los saldos de la balanza de pagos —baja o saldos negativos durante la depresión, y aumento de los mismos durante la prosperidad—, podemos afirmar que a largo plazo existe una tendencia crónica hacia el aumento de los saldos negativos de la balanza de pagos, que se manifiestan a partir del año de 1944, pero sobre todo desde 1946 (este fenómeno se observa muy bien en las gráficas 6 y 7).

Las razones para este desequilibrio, muy complejas por cierto y que no podemos analizar a fondo en este breve análisis de la economía de México, se relacionan principalmente con el desarrollo económico, o sea con el aumento del volumen de inversión, que se expresa en forma evidente por el aumento de importaciones en su mayoría de bienes de capital, pero en muchos casos de bienes suntuarios.

Los antecedentes de este desequilibrio secular de la balanza de pagos los encontramos en la relación distinta entre el crecimiento de exportaciones y de importaciones. Mientras en forma tradicional se venía observando que en la balanza comercial se presentaban saldos positivos, tal hecho desaparece desde el año de 1940, en que se inicia el vigoroso crecimiento de la economía mexicana. A partir de ese año y con muy pequeñas excepciones, el saldo de la balanza comercial es siempre negativo o desfavorable. El mayor crecimiento de importaciones que exportaciones lo apreciamos perfectamente, comparando cifras de importación y exportación *per capita* en varios años (ver gráfica 6).

Mientras en 1925 casi exportábamos el doble de lo que importábamos, para el año de 1940 la importación había ganado terreno, y casi representaba las tres cuartas partes de la exportación. En el año de 1944 se opera el cambio más importante en la estructura del comercio exterior, ya que las importaciones *per capita* sobrepasaron a las exportaciones, y en 1950 y 1954 el desarrollo de las importaciones superó con creces el aumento de exportaciones: a partir de ese último año la brecha se abre (ver gráficas 6 y 7).

Este hecho, de gran importancia para la estructura económica de México, significa que el ritmo actual de industrialización del país necesita una base más amplia de exportaciones de mercancías, más todavía cuando consideramos que las exportaciones actuales siguen consistiendo fundamentalmente en materias primas y productos semielaborados, cuya demanda está sujeta a cambios bruscos derivados de los cambios del ingreso de los países compradores, principalmente Estados Unidos.

La brecha que se ha venido abriendo entre compras y ventas al exterior se cierra mediante los renglones invisibles de la balanza de pagos, constituidos principalmente por ingresos de turismo y afluencia de capital. Desgraciadamente los renglones invisibles muestran fluctuaciones muy severas durante los cambios cíclicos, y expresan una gran inestabilidad, como lo hemos visto durante la depresión de 1932, y en la baja de la actividad económica en 1937, en 1944 y 1947.[14]

Mediante el estudio de las cifras disponibles, puede apreciarse que mientras la cuenta de viajeros sube con ímpetu, principalmente de 1948 a la fecha, el saldo de la balanza comercial tiende a hacerse más desfavorable a medida que las importaciones suben más aprisa que las exportaciones.

Esto nos lleva a la consideración de más importancia sobre los cambios de la balanza de pagos en relación con el desarrollo económico. Mien-

---

[14] Cf., del autor, *Ensayos sobre desarrollo económico y fluctuaciones cíclicas en México*, UNAM, Escuela Nacional de Economía, México, 1966, pp. 69-131.

tras en años anteriores a 1938 y 1940, en que se inicia el crecimiento vigoroso de la economía de México, eran los excedentes de exportaciones los que financiaban el desarrollo económico y permitían obtener saldos favorables de la balanza de pagos, a partir de ese año y principalmente en la última década, es el turismo el pilar más fuerte que está sosteniendo el financiamiento de origen externo de la inversión nacional.

Creo que no escapa a la atención del lector que esta estructura de la balanza de pagos coloca sobre base muy endeble la sustentación del desarrollo económico de México, y que es sumamente peligroso que nuestro progreso dependa de las aleatorias condiciones del turismo.

CAPÍTULO VII

DESARROLLO ECONÓMICO
CONCENTRADOR DEL INGRESO

DISMINUYE LA TASA DE CRECIMIENTO DEL INGRESO REAL "PER CAPITA"

La dependencia de la economía, el carácter fluctuante de la ocupación y el ingreso y los profundos desequilibrios que se han originado a lo largo de más de treinta años de desarrollo económico guiado principalmente por las leyes del mercado, han generado una distribución desigual del ingreso nacional que ha reducido al mínimo el poder de compra de grandes sectores de la población y está frenando al mismo desarrollo.

Tan grave error en la política económica de México nos lleva de la mano a lo que, a mi juicio, es en estos momentos el problema número uno del desarrollo, la redistribución del ingreso y el mercado interno.

La baja del ritmo de la inversión pública y privada en la última década, sobre todo a partir del receso de 1958, frente a un crecimiento constante de la población y sin una política fiscal redistributiva, se ha traducido, como era de esperarse, en una disminución del ingreso real *per capita* o de su tasa de crecimiento y por lo mismo de la tasa de desarrollo. Observamos que desde 1958 (ver gráfica 15), en que se flexionan los índices de la producción industrial y agrícola, el ingreso real *per capita* sube en forma casi imperceptible y en algunos años disminuye abiertamente, como en 1959, 1961 y 1971 (ver gráfica 5). Aquí estamos ya en el fondo de la cuestión. La concentración del ingreso en pocas manos.

Como hemos visto hasta ahora, la economía de México fluctúa constantemente y el desarrollo económico no es estable, no se realiza con un crecimiento estable, sino que la fluctuación priva a lo largo de dicho crecimiento. Sin embargo, ésta no es la consecuencia más grave del desarrollo sin planeación que registra la economía mexicana en las últimas tres décadas y media, sino que uno de sus efectos más desfavorables ha sido la mala distribución del ingreso que se ha concentrado en pocas manos, creándose una gran población que en realidad no disfruta del progreso económico.

CÓMO SE EXPRESA LA INJUSTA DISTRIBUCIÓN DEL INGRESO

Podemos afirmar que la mala distribución del ingreso se expresa en dos fenómenos económicos evidentes y que todo el mundo observa en la economía mexicana:

1º El desarrollo económico que impulsa a la economía mexicana se ha concentrado en extensiones geográficas reducidas del país, creando graves desequilibrios regionales con zonas prósperas a niveles de alto desarrollo económico y zonas deprimidas que sufren las condiciones de atraso de una economía meramente feudal. Ya antes examinamos el tremendo crecimiento de las ciudades y el gran número de zonas con un desarrollo ínfimo.

2º El otro fenómeno económico se expresa por el grave desequilibrio estructural que registra la economía mexicana y que se manifiesta en el gran atraso de la agricultura de temporal y por lo mismo de todos los sectores de la población conectados con la misma, frente al crecimiento de las zonas urbanas que son los centros de industrialización.

Veamos cómo se manifiesta la mala e injusta distribución del ingreso.

De acuerdo con Ifigenia M. de Navarrete, que ha estudiado a fondo el problema, México es un país donde el desarrollo económico, a partir de 1940, ha generado una distribución del ingreso nacional por factores productivos en que las utilidades representan el 26.7 %, o sea casi lo mismo o tal vez más últimamente, de lo que ha correspondido a los sueldos y salarios.[1]

Esto sin comentar, ya que resulta realmente monstruoso y desproporcionado, que además de los ingresos por utilidades, los ingresos de propiedad participan en la distribución del ingreso nacional en una proporción muy superior a la tercera parte. Aproximadamente el 70 % del ingreso nacional, derivado por utilidades y propiedad, se queda en manos de los empresarios.

Coincido con la señora Navarrete cuando concluye, en su magnífico trabajo sobre la distribución del ingreso, que "una mejor distribución del ingreso tiende a provocar un desarrollo continuo, más equilibrado y mejor orientado".[2]

De acuerdo con un estudio de la CEPAL,[3] "a México le corresponde la distribución del ingreso más desigual; esto se verifica si se considera, por una parte, que el ingreso medio del 5 % más alto de la población es 32 veces superior a aquel del 20 % más pobre y, por otra, que el 50 % más pobre recibe solamente alrededor del 15 % del ingreso total".

LA BAJA PRODUCTIVIDAD SIGNIFICA POBREZA

Por lo mismo, podemos afirmar que de los 12 995 000 habitantes de población económicamente activa, o sea el 26.86 % de la población del país, de acuerdo con el último censo de 1970, el 39.5 %, que representa 5 132 000 trabajadores, se ocupaban en actividades primarias y produjeron 34 730 millones de pesos de 1960, o sea el 11.6 % del producto interno bruto, que representan 6 767 pesos de 1960 por trabajador. En cambio en la industria, el 22.9 % de la población ocupada, o sea una pobla-

[1] Ifigenia M. de Navarrete, *La distribución del ingreso y el desarrollo económico de México*, Instituto de Investigaciones Económicas, Escuela Nacional de Economía, México, 1960, cuadro 4, p. 56.

[2] *Ibid.*, p. 97.

[3] *Ensayos de política fiscal*, Fondo de Cultura Económica, México, 1973, p. 112.

ción de 2 979 000 habitantes en números redondos, produjo el 34.3 % del producto interno bruto, o sea 102 000 millones de pesos de 1960 que representan 34 371 pesos de 1960 por persona, lo que equivale a un producto cinco veces superior al de los trabajadores del sector primario.[4]

Desde luego que no puede negarse que la Revolución mexicana ha traído grandes beneficios para los sectores más numerosos de la población y sería una necedad querer desconocer que ha mejorado el nivel medio de vida de las grandes mayorías, pero con un criterio revolucionario, debe repetirse las veces que sea necesario, cuantas veces haya que decirlo, para señalar que la falta de una verdadera planeación del desarrollo económico ha canalizado gran parte de los beneficios derivados del progreso hacia muy pocas manos.

Todos los economistas que han estudiado estos problemas coinciden con las anteriores afirmaciones.[5]

EL AHORRO FORZOSO, INSTRUMENTO DE DESARROLLO

No cabe duda que el desarrollo económico, sobre todo a partir de 1940, se ha realizado mediante el conocido expediente del ahorro forzoso, o sea transfiriendo ingresos de los trabajadores a los empresarios, de los sectores de ingresos fijos a los de ingresos variables. Si examinamos la distribución del ingreso por factores, veremos que el trabajo, después de disminuir su participación en

[4] *La economía mexicana en cifras, 1970*, Nacional Financiera, México, 1970, cuadro 2.6, p. 29, y cuadro 2.7, p. 33, y *Anuario Estadístico Compendiado 1970*, DGE, cuadro 2.11, p. 29.

[5] Véase: *La intervención del gobierno en la economía. Tesis de la Revolución mexicana*, Lic. Guillermo Martínez Domínguez, México, 1955, pp. 27-28. *Cuestiones nacionales. La realidad económica de México*, Emilio Mújica y Jorge Echániz, p. 17. *Niveles de vida y desarrollo económico*, Escuela Nacional de Economía: "Propuestas prácticas para elevar los niveles de vida", Guillermo Martínez Domínguez, pp. 265-266.

1950 a 23.8 % del producto territorial bruto, aumenta levemente a 28.7 % en 1960, que es un poco inferior al nivel de 1940, 29.1 %. Su participación se ha mantenido invariable en los últimos 20 años.[6] En cambio las utilidades muestran un franco aumento de 1940 a 1960. En realidad los ingresos del capital siempre se han mantenido más altos que los ingresos del trabajo.

Según una publicación reciente de la Secretaría de Industria y Comercio [7] el 76 %, en números redondos, de la población económicamente activa participó en 1964-65 del 7 % del ingreso, o sea 8 325 000 personas, y no rebasó un ingreso mensual de 749 pesos. En cambio hay 33 000 personas (0.3 % de la fuerza de trabajo) con ingresos mayores de 10 000 pesos mensuales, que participan del 54.9 % del ingreso. Naturalmente que es el sector rural el que lleva la peor parte en la distribución del ingreso. En una investigación realizada en 1958 [8] el 25 % de las familias del medio rural obtiene ingresos de 201 a 300 pesos mensuales y en cambio en el sector urbano el 21 % de las familias obtiene ingresos de 1 001 a 2 000 pesos mensuales.

LOS DESEQUILIBRIOS REGIONALES Y LA INJUSTA
DISTRIBUCIÓN DEL INGRESO

Y desde luego que la mala distribución del ingreso nacional está íntimamente ligada con los desequilibrios regionales del desarrollo económico. En un estudio que ya hemos citado [9] se analizan 111 zonas de la República según su grado de des-

6 H. Flores de la Peña, en *Problemas de desarrollo, salarios y precios*, Comisión Nacional de los Salarios Mínimos, Estudios Económicos, tomo IV, México, 1964, p. 126.

7 *La población económica activa de México*, Secretaría de Industria y Comercio, 1964-65.

8 *La magnitud del hambre en México*, Ana María Flores, México, 1961, p. 37, cuadro 7.

9 Claudio Stern, "Un análisis regional de México", *Demografía y Economía*, núm. 1, 1967, pp. 92-111.

arrollo económico, atendiendo a diversos indicadores. Uno de ellos es el ingreso medio mensual por trabajador en 1960. Pues bien, el ingreso medio por trabajador entre 323 y 535 pesos mensuales se encuentra en aquellas zonas que tienen un desarrollo económico medio inferior al país, bajo, muy bajo e ínfimo y representan el 60.6 % de la población total con 21.17 millones de habitantes. Las zonas donde hay trabajadores con ingreso medio mensual entre 323 y 436 pesos se clasifican con desarrollo bajo, muy bajo e ínfimo y representan el 52.8 % de la población total del país o 18.47 millones de habitantes en 1960.

Desde luego que toda esta población puede clasificarse como del sector rural; este 60.6 % del total tiene un porciento de población económicamente activa en el sector primario que va del 61 % al 90 %.

Las zonas de desarrollo muy elevado y elevado, con un ingreso promedio por trabajador de 761 a 913 pesos mensuales en 1960, comprenden el 39 % de la población total del país o sea 13.75 millones de habitantes y naturalmente pertenecen al sector urbano. La proporción de la población urbana (con 2 500 habitantes y más) va de un 75 a un 94 %. La localización geográfica de la población más rica del país la encontramos principalmente en las entidades del centro y del norte (15 zonas en el norte y 10 en el centro). La población más pobre se encuentra sobre todo en las regiones montañosas y áridas (38 zonas), en el sur y en el sureste (9 zonas) y en el golfo de México (10 zonas). (Ver cuadro x.)

UNA CUARTA PARTE DE LA POBLACIÓN DEL PAÍS
EN LA MAYOR POBREZA

Un estudio reciente realizado por investigadores del Banco de México [10] coincide sorprendentemen-

[10] Véase: Resumen de la ponencia presentada por Nathan Gravinsky y Uwe Frisch, en la reunión nacional de ciencia y tecnología en la Reforma Agraria: revista *Análisis*, núm. 23, 1º de agosto de 1968, pp. 18 y 27.

te con el análisis anterior. Estos investigadores encuentran una zona agraria crítica del país formada por siete entidades, estado de México, Querétaro, Hidalgo, San Luis Potosí, Tlaxcala, Puebla y Oaxaca. Es una región semiárida, accidentada, con predominio de tierras de temporal, densamente poblada, rural, de bajos ingresos y pocas tierras por campesino. El ingreso medio por ejidatario en la zona no llegó a igualar, en 1960, el salario mínimo urbano medio del país de alrededor de 8 pesos diarios. Constituye la cuarta parte de la población del país, la octava parte de la superficie del mismo y apenas la decimosexta parte de las tierras beneficiadas por la política de irrigación. Se trata de población ocupada en actividades primarias, el 66.93 % se dedica a esas actividades, y sólo el 33.07 % a las urbanas. Los campesinos son pequeños ejidatarios con menos de cinco hectáreas cuyos ingresos en promedio resultan equivalentes a la tercera parte de los que obtienen los ejidatarios del país. La extensión que cultivan es insuficiente para satisfacer sus más elementales necesidades. Mientras los campesinos del resto del país disponen de 6.47 hectáreas de labor *per capita*, los de la zona sólo cuentan con 2.70 hectáreas. Además los rendimientos que obtienen son insignificantes. Su rendimiento *per capita* equivale a la tercera parte de lo que obtienen los campesinos del resto del país.

Todo lo anterior nos lleva a establecer la conclusión de que los fines de una nueva política de desarrollo económico de que nos ocuparemos en los capítulos siguientes, tanto en la inversión, en el consumo, como en la política monetaria y fiscal, deben ser la redistribución del ingreso para mejorar el nivel de vida de la población y ampliar el mercado interno.

SEGUNDA PARTE

HACIA UNA NUEVA POLÍTICA DE DESARROLLO ECONÓMICO

La nueva política económica debe proponerse acelerar el desarrollo económico sin disminuir el nivel de vida de la población. Parece contradictorio aumentar la inversión sin disminuir el consumo, pero en los capítulos anteriores hemos visto que, a pesar de que grandes sectores de la población mexicana viven en la pobreza, la tasa de inversión no aumenta como era de esperarse.

Afirmamos antes que el fuerte crecimiento de la población en la última década es el factor condicionante más importante del desarrollo, una verdadera ley de hierro que está presente en todos los fenómenos económicos, sociales y políticos de México. Vimos también que el incremento actual de 3.6 % anual de la población ha neutralizado el crecimiento del producto nacional bruto, de manera que la tasa de desarrollo apenas alcanza un nivel ínfimo de 1.8 % anual y lo peor de todo es que las perspectivas para los años venideros no parecen ser muy halagadoras.

Por otra parte hemos señalado también que el crecimiento espontáneo de la economía mexicana, guiado solamente por los caprichos del mercado, ha traído por consecuencia un desarrollo económico dependiente, fluctuante, desequilibrado y que ha concentrado el ingreso en muy pocas manos, que en verdad constituyen una verdadera oligarquía industrial y financiera. Como en economía las leyes se cumplen fatalmente, la consecuencia lógica de esta política equivocada ya está a la vista: el mercado se ha reducido en forma inexorable y la pobreza aumenta porque la población no deja de crecer.

¿Existe una solución a este grave problema? A mi juicio sí es posible corregir los serios desequilibrios de desarrollo, si se adopta una nueva política económica. Esa nueva política se refiere a la inversión, el consumo, el comercio exterior, la política monetaria y fiscal que debe tener como meta aumentar el mercado interno.

CAPÍTULO VIII

LA POLÍTICA DE INVERSIÓN

Hasta ahora la inversión que ha sustentado el desarrollo económico ha procedido de dos fuentes: el sector público y el sector privado, que se alimentan de ahorros internos y externos. En ocasiones, como hemos visto, la inversión pública ha decidido el monto total de la inversión y fue determinante al iniciarse el período del desarrollo económico que venimos analizando, en la década de los treinta, pero en años recientes parece que cede su lugar a la inversión privada. Según el *Estudio económico de América Latina, 1972*, de la CEPAL, la inversión gubernamental representa en México en ese año el 21.6 % de la formación bruta de capital fijo, mientras la del sector privado representa el doble: 42.0 %, en pesos de 1960.

Si observamos la gráfica 16, veremos que la inversión pública se ha rezagado con relación al aumento del producto nacional bruto. En dicha gráfica hemos representado el porciento de la inversión pública con relación al producto nacional bruto y observamos que, del año de 1941 al año de 1950, hay una marcada tendencia ascendente de la inversión pública, pero desgraciadamente esta tendencia se invierte a partir de dicho año y, hasta el año de 1959, la inversión pública registra un descenso marcado (ver cuadro XVII). Seguramente esto ha contribuido, además de lo ya señalado en los capítulos anteriores, para disminuir la tasa de desarrollo porque es incuestionable que el ingreso de la economía nacional se debilita seriamente cuando baja la inversión pública afectando en consecuencia la tasa de desarrollo económico.

Sin embargo, el gasto público es todavía muy importante para orientar el desarrollo económico y puede ser determinante en la aceleración del crecimiento, la redistribución del ingreso y la ampliación del mercado interno.

LA PARTICIPACIÓN GUBERNAMENTAL,
UNA DE LAS MÁS BAJAS

Todos están de acuerdo en que a pesar de la importancia que tiene la inversión pública en la formación de capital, el Estado mexicano participa con una proporción muy pequeña del ingreso nacional. En 1950 y 1954 el gasto público total representó el 10 % del producto nacional bruto, en 1960 aumenta al 14.4, en 1964 representa el 18.2 y en 1969 el 16.6 %.[1]

Semejante porcentaje no sólo es inferior comparado con el que se registra en los países industriales, donde alcanza el 25 y aun el 30 %, sino que en comparación con otros países en desarrollo o con un nivel inferior de desarrollo, la posición de México revela una gran desventaja.[2]

El hecho de que el Estado mexicano participe en tan mínima proporción del ingreso nacional tiene varias implicaciones: en primer lugar, el gobierno no puede realizar el monto de inversiones que son necesarias para mantener una tasa elevada de aumento del producto nacional bruto; con mayores ingresos, el Estado puede elevar la tasa de desarrollo. En segundo lugar, con una mayor participación, el Estado podría realizar mejor una política redistributiva del ingreso subiendo los impuestos directos que cancelan ingresos de aquellos particulares que tienen excedentes y está demostrado que no se convierten en inversiones, sino en gastos suntuarios. Los excedentes, precisamente de aquellos en quienes se concentra el ingreso, debe recogerlos el Estado para conver-

[1] Roberto Anguiano Equihua, *Las finanzas del sector público en México*, cuadro 1, p. 72; *La política fiscal*, A. Cervantes, Cuestiones nacionales, p. 232, cuadro 12; I. M. de Navarrete, *Política fiscal en México*, cuadro 1, p. 177; "La política fiscal y las estructuras económicas", en *Ensayos de política fiscal*, Fondo de Cultura Económica, 1973, cuadro 4, p. 103.

[2] Según el *Estudio económico de América Latina, 1965*, cuadro 13, p. 33, en 1962-64 la participación del gasto fiscal en el producto bruto interno de México era de 15.3 %, inferior a Colombia (19.1 %); Venezuela (20.7 %); Argentina (21.9 %); Costa Rica (22.5 %); Ecuador (22.3 %); Brasil (29.5 %); Chile (29.6 %); y Uruguay (32.5 %).

tirlos en inversiones que aumenten la ocupación y puedan neutralizar el tremendo crecimiento de la población actual y desarrollar las áreas deprimidas del país.

Por esta política equivocada, y tal como se comenta en el *Estudio económico de América Latina, 1966* de la CEPAL (p. 21), debido a la debilidad de la estructura tributaria en el sistema financiero mexicano, los bancos privados captan los fondos y el gobierno se ve obligado a contratar préstamos internacionales para sostener su ritmo de inversión pública, dando por resultado, según mi opinión, que el gobierno está transfiriendo poder a la banca privada fortaleciéndola en forma jamás vista e hipotecando al país por seguir el camino más fácil.

Debe entonces recomendarse, como primera medida de una nueva política de inversión pública, que la participación del Estado aumente, hasta representar por lo menos el 25 % o el 30 % del producto nacional bruto.

Antes de pasar a analizar otro aspecto del sector público, conviene citar a un autor de gran prestigio internacional, economista muy conocido, experto fiscal que incluso hizo un estudio sobre la materia en México; me refiero a N. Kaldor cuando afirma: "Si preguntaran mi opinión sobre la política que más favorece a la inversión privada, contestaría que una imposición elevada, excedentes presupuestales combinados con una política de créditos fáciles y no una política de baja imposición combinada con política de crédito y monetaria restrictivas".[3]

Otro aspecto que conviene analizar en relación a la inversión pública se refiere a ciertas características del gasto público.

El gasto total del sector público está sostenido por tres columnas: el gobierno federal, las entidades federativas y los organismos y empresas estatales. De hecho, el gobierno federal y los organismos y empresas estatales realizan el grueso del gasto público; pero aquí es donde debe hacerse

---

[3] N. Kaldor, *Programación del desarrollo económico*, "Imposición y desarrollo económico", F.C.E., México, 1965, p. 85.

GRÁFICA 16

Inversión nacional en porcientos del PNB

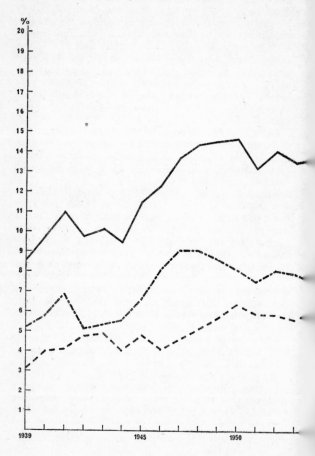

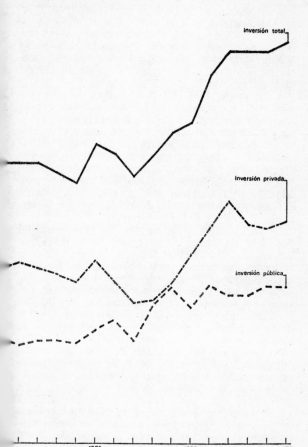

una importante observación: más de la mitad del gasto público del gobierno federal se dedica a gastos corrientes y son organismos y empresas estatales los que realizan la mayor proporción de la inversión total. En 1959 dichas empresas realizaron alrededor del 58 % de la inversión total y en 1964 alcanzaron casi el 64 %.[4] En el presupuesto de 1973 los organismos descentralizados y las empresas del sector público recibieron el 74 % de las asignaciones para fomento, promoción y reglamentación industrial y comercial y el gobierno federal el 26 % restante.

A mi juicio, el hecho de que sean los organismos y las empresas estatales los que realizan la mayor proporción del gasto público en inversiones para el desarrollo económico constituye otro grave error de política económica: ¿qué criterio social para realizar las inversiones pueden tener los que dirigen estas empresas?, ¿quién coordina y planifica estas inversiones? En realidad esta anarquía contribuye a acentuar los graves desequilibrios del desarrollo económico de México que ya hemos analizado en capítulos anteriores.

Lo dicho antes fortalece nuestro argumento de que debe aumentar de inmediato la participación del sector público en el ingreso nacional. Pero la reflexión nos lleva a otra consideración. Los gastos de capital del gobierno federal deben orientarse por un camino nuevo y con un criterio distinto de manera que cumplan dos finalidades fundamentales: estimular el desarrollo económico de la provincia, sobre todo de aquellas regiones más atrasadas, y crear industrias que absorban la mayor cantidad de mano de obra. Aquí cabe comentar los nuevos proyectos de inversión pública que fueron ampliamente difundidos en los periódicos de la ciudad de México el día 29 de abril de 1968.

Los proyectos se refieren a un plan de inversión pública de 24 500 millones de pesos en obras fundamentales que beneficiarán a cerca de 10 000 poblados de 500 a 2 500 habitantes. En dichas comunidades rurales se realizarán obras para acele-

4 *México, 1966*, Banco Nacional de Comercio Exterior, S. A., p. 203.

rar el desarrollo regional, ampliar el mercado interno y, con un contenido social y humano que beneficiará a la cuarta parte de la población del país, que sin duda es la más pobre y que hasta ahora ha permanecido sustraída a los beneficios del desarrollo económico. Dichas obras son las que realmente hacen falta para elevar el nivel de vida de esos habitantes y ampliar el mercado interno: caminos de penetración, sistemas de abastecimiento de aguas, obras de electrificación rural, centros sanitario-asistenciales, escuelas, construcción de casas-habitación, silos y bodegas, realización de planes pecuarios y nivelación de terrenos. Las primeras obras de este notable plan se realizarán en el estado de Durango, en 200 de sus localidades con más de 500 y menos de 2 500 habitantes que suman en conjunto cerca de 180 000 habitantes.

A mi juicio ésta es la política acertada de obras públicas que demanda el estado actual de desarrollo económico de México, para beneficiar a grandes sectores pobres de la población y ampliar los mercados que permitirán aumentar la producción industrial, abaratar los costos y poder exportar, con grandes ventajas, enormes volúmenes de artículos manufacturados.

Se obtendría así un aumento inmediato de productividad que es la forma más efectiva de ampliar el mercado y estimular el incentivo para invertir del sector privado.

LA INVERSIÓN PRIVADA

Si observamos la gráfica 16, donde se representan la inversión pública, privada y total, veremos que de 1939 a 1970 la inversión privada sigue, en general, la dirección de la inversión pública. La inversión privada muestra un ascenso vigoroso hasta el año de 1956, descontando solamente las fluctuaciones cíclicas que hacen oscilar dicha inversión en períodos cortos. Aquí, por supuesto, queda incluido el poderoso crecimiento registrado durante la segunda guerra mundial, de 1939 a 1945, y la posguerra hasta 1948; después el crecimiento es más lento hasta el ya citado año de 1956; el siguiente período puede delimitarse entre este año y el de 1962 en que hay marcados descensos hasta niveles del 8 y el 7 % del PNB en los años de depresión de 1961 y 1962; luego viene un crecimiento muy fuerte de la inversión privada de 1963 a 1967 que pasa del 7 al 12 % del PNB parecido al de los años de guerra y posguerra.

De ese año a la fecha (1973) la inversión privada se encuentra estancada y hasta muestra un descenso en 1972, frente a un fuerte aumento de la inversión pública.

No cabe duda que tanto la inversión pública como la inversión privada son sumamente bajas en la economía mexicana, al grado que sumadas en los años de 1966 a 1972 se mantienen entre el 18 y el 19 % del PNB, y si las comparamos con las de otros países, donde esta proporción alcanza cifras hasta del 30 %, como en Japón (ver cuadro XI), nos daremos cuenta de que debe recomendarse, además del aumento de la inversión pública,[5] fortalecer la inversión privada para estimular el desarrollo económico.

Es muy conveniente analizar la estructura del capital de la economía mexicana para comprender cuáles son los sectores que pueden estimular la inversión pública y privada. De acuerdo con cifras de Alonso Aguilar,[6] el 62.6 % del capital total del país es capital privado, según cálculos hechos el año de 1960. El capital privado tiene predominio absoluto en la agricultura (100 %), en la industria extractiva y de transformación (88.9 %), en el comercio (99.4 %) y en los servicios (85.8 %), mientras que el sector público predomina por su inversión en la industria petrolera (100 %), en la

[5] En el Informe Presidencial del 1º de septiembre de 1968, se hace saber que los gastos totales de la Federación fueron, en 1967, de 27 379 millones de pesos que representan el 9.1 % del producto nacional bruto. Si analizamos las cifras del cuadro XVII, esto indica que el gobierno federal ha tomado la decisión de aumentar su participación en el producto nacional bruto, lo que coincide con la tesis sostenida en esta obra.

[6] Alonso Aguilar y Fernando Carmona, *México: riqueza y miseria*, Editorial Nuestro Tiempo, 1967, cuadro 3, p. 20.

industria eléctrica (91.6 %) y en la industria de los transportes (69.9 %).

No cabe duda que los campos preferidos de la inversión privada han sido en México, desde hace muchos años, la agricultura, las manufacturas, el comercio y los servicios, pero sobre todo las manufacturas y el comercio. De esta manera, pues, el capital privado predomina en la industria extractiva y de transformación con 25 000 millones de pesos contra 3 000 millones del sector público en 1960. Igual sucede en el comercio con 5 322 millones del primero contra 31 millones del segundo. La importancia de este hecho se aprecia cuando consideramos que las dos terceras partes de los bienes que constituyen el producto nacional bruto en 1967 se generan en la agricultura, las manufacturas y el comercio.

Estos comentarios nos llevan a dos consideraciones de importancia que señalaremos en seguida: por una parte, el desarrollo económico de México, sin planeación y orientado sólo por el crecimiento espontáneo del mercado, ha hecho que la inversión privada se concentre en aquellas actividades que se han desarrollado en las ciudades y por lo mismo podemos afirmar que es dicha inversión la que ha creado el tremendo desequilibrio estructural que ya comentamos en capítulos anteriores y le ha dado al desarrollo económico de México características de desarrollo urbano, ya que ha concentrado la población y la industria en 17 ciudades del país.

HAY GRANDES DESEQUILIBRIOS EN LA DISTRIBUCIÓN
GEOGRÁFICA DE LA INVERSIÓN PRIVADA

Sobre el particular Alonso Aguilar comenta:[7]

Considerando el capital fijo a disposición de la industria privada, se observa la siguiente distribución geográfica:

Tan sólo en el D. F. se concentra el 25.7 % de

[7] Alonso Aguilar y Fernando Carmona, *México: riqueza y miseria*, Editorial Nuestro Tiempo, 1967, p. 26.

dicho capital; Nuevo León absorbe el 15.0 %, México el 14.3 % y Veracruz el 8.1 %. Dichas entidades, junto con Chihuahua y Puebla, participan con el 70.6 % del total, mientras las 26 restantes apenas concurren con el 29.4 %. Por lo menos en 12 de ellas las inversiones son realmente insignificantes, todo lo cual revela un desarrollo sumamente desigual del proceso industrial.

La población industrial del país se concentra principalmente en el D. F. (más de 300 000 obreros y empleados), en Nuevo León y México (entre 50 000 y 100 000) y en Coahuila, Chihuahua, Jalisco, Puebla y Veracruz (entre 25 000 y 50 000 personas en cada uno). En quince entidades, el personal ocupado en la industria es inferior a 10 000 personas y en la mayor parte de ellas no llega siquiera a 5 000.

LA INVERSIÓN EXTRANJERA

La otra consideración se refiere a la gran importancia de la inversión extranjera dentro de la inversión privada.

Los serios desequilibrios del desarrollo económico que ya hemos estudiado en capítulos anteriores tienen aquí su más clara expresión. Sobre todo en lo que se refiere a la dependencia de la economía, Estados Unidos participa con el 83 % del total de las inversiones extranjeras en el país.

De acuerdo con cifras de José Luis Ceceña,[8] en 1960 observamos que el 56 % de la inversión extranjera se localizaba en la industria de transformación, el 18 % en el comercio y el 16 % en la minería. Tal hecho significa que hay un fuerte dominio de la inversión extranjera en la inversión privada y que es muy vulnerable la situación de la economía mexicana, dada la importancia de la inversión privada en el producto nacional bruto. Es conveniente comentar que la inversión extranjera ha

8 El capital monopolista y la economía de México, Cuadernos Americanos, 1963, cuadro 45, p. 103 y cuadro 46, p. 105.

crecido en forma desproporcionada en la industria de transformación y en el comercio, puesto que en 1939 aquélla sólo representaba el 6% de la inversión total y en 1960 había subido al 56%. Parece haberse observado un curioso fenómeno de desplazamiento de la inversión extranjera del año de 1939 a 1960, del sector de la industria eléctrica, los transportes, la minería, a las industrias de transformación y el comercio. Es bueno señalar que este desplazamiento a mi juicio no ha sido meramente espontáneo, sino que se ha debido por una parte a la política de inversión del gobierno mexicano y además al carácter más dinámico y lucrativo de las manufacturas y el comercio.

Este proceso de desplazamiento de la inversión extranjera se ha vigorizado en la actualidad, ya que para el año de 1968, la inversión extranjera privada en México se localizaba en un 74.2% en las manufacturas y en un 14.8% en el comercio.[9]

LA INVERSIÓN EXTRANJERA DEBE REGLAMENTARSE

Dada la importancia que representa la inversión extranjera en la inversión privada y dentro de la economía nacional, debe reglamentarse para someterla a los fines que el gobierno se proponga obtener en el desarrollo económico. Desde luego es conveniente señalar que, tal como ahora se comportan las inversiones extranjeras, están descapitalizando al país.

Según podemos ver en el cuadro XII, desde el año de 1950 el total de egresos de inversiones extranjeras directas supera en forma sumamente notable a los ingresos de esta clase de inversiones y en los últimos años, de 1962 a 1965, se da el caso de que el ingreso neto es negativo.[10]

[9] Véase *Comercio Exterior*, octubre de 1972.
[10] Ingreso neto = egresos menos utilidades reinvertidas. En 1964 los egresos fueron 236 millones de dólares, las utilidades reinvertidas, 50 millones; el ingreso neto debería ser de 186 millones de dólares, pero sólo hubo un ingreso de 162 millones de dóla-

Ya hemos señalado más arriba, dentro del apartado *El papel de las inversiones extranjeras*, que en un período de 14 años, de 1958 a 1971, la diferencia entre ingresos y egresos por concepto de inversiones extranjeras produjo un déficit de 14 160.4 millones de pesos y que las utilidades remitidas al exterior en ese período representaron el 68 % del total de utilidades obtenidas. En 1972, las inversiones extranjeras arrojaron un saldo negativo de 232.0 millones de dólares. Por lo tanto, siguen siendo descapitalizadoras.

La *Ley para promover la inversión mexicana y regular la inversión extranjera*, cuya iniciativa fue enviada al Congreso el 26 de diciembre de 1972 y que fue aprobada, es el primer intento para regular la inversión extranjera, pero a estas alturas (agosto de 1973) todavía no es posible juzgar sobre su eficacia. De todas maneras, dicha ley no contiene ninguna disposición que limite la remesa de utilidades al exterior de las inversiones extranjeras.

res, por lo que la pérdida para el país asciende a 24 millones de dólares.

CAPÍTULO IX

LA POLÍTICA DE CONSUMO

Desde hace más de 15 años, para un numeroso grupo de economistas, constituye una seria preocupación la estructura de una política de consumo dentro del desarrollo económico de México,[1] y es que desde la década de los cincuentas, como ya lo hemos señalado con toda amplitud en los capítulos anteriores, se observa una disminución en el ritmo de desarrollo económico y, desde entonces, ya despertaba la inquietud de las personas que han estudiado con más detenimiento la economía mexicana.

Una política de consumo constituye la medida económica más importante para ampliar el mercado interno y deberá descansar fundamentalmente en tres pilares, que son: la protección del ingreso del campesino, la defensa y complementación de los sueldos y salarios y la política de seguridad social.

EL INGRESO DEL CAMPESINO ES FUNDAMENTAL PARA AMPLIAR EL MERCADO INTERNO

Siendo México un país agrícola donde la mitad de la población obtiene sus ingresos de actividades primarias y en vista de que las zonas de mayor atraso son precisamente algunas regiones agrícolas, es incuestionable que todas aquellas medidas que aumenten la productividad en esos sectores y protejan y alienten el ingreso real de los campesinos ampliará instantáneamente el mercado in-

[1] Véase: *Niveles de vida y desarrollo económico*, Cursos de Invierno de la Escuela Nacional de Economía, UNAM, Investigación Económica, México, 1953.

terno y permitirá aumentar la tasa de desarrollo económico. Si bien es cierto que por una parte los productos agrícolas generan el ingreso de una gran proporción de la población mexicana, por la otra es muy importante considerar también que constituyen las materias primas y los alimentos del resto de la población y sobre todo de los centros urbanos que, como hemos visto antes, constituyen la columna vertebral del desarrollo económico del México actual.

Es bueno recordar, aunque sea rápidamente, cuáles son los factores que influyen principalmente sobre el ingreso de los campesinos:

a] El nivel de productividad que determina la abundancia o escasez del producto agrícola de que se trate y el efecto que esto tenga en el mercado sobre el ingreso del agricultor, que depende de la elasticidad de la demanda del artículo en cuestión. Como en la mayoría de los casos se trata de productos con una demanda inelástica, la primera recomendación que surge es que es una imperiosa necesidad que las cosechas de los campesinos sean protegidas por el Estado con precios mínimos de garantía y con almacenes que regulen las existencias sobre todo de los productos alimenticios, digamos por caso maíz, frijol, café, azúcar, trigo; materias primas como algodón, ajonjolí y forrajes y productos agropecuarios como la carne, los huevos, así como los productos del mar, como pescado de consumo popular. Así podrá liberarse el productor agrícola de la nefasta intervención de los intermediarios que causan doble daño: por una parte limitando el ingreso del sector agrícola y por la otra encareciendo los productos en otros mercados.[2]

b] El nivel de productividad en el campo influye

---

[2] Algunos economistas han hecho hincapié en el pesado aparato de distribución que soporta la economía mexicana. Uno de los más pesados del mundo. En 1967 el comercio participó con el 26.3 % del producto nacional bruto, igual que las manufacturas (en Estados Unidos la participación del comercio es sólo de 15 %). Para más detalles, véase la conferencia del Lic. Sergio Luis Cano en la XIII Conferencia Anual de Ejecutivos de Ventas y Mercadotecnia, dictada el 13 de marzo de 1968.

ambién en forma decisiva sobre el ingreso de los campesinos. Es indudable que la alta productividad de la agricultura de los distritos de riego, principalmente de exportación, supone mejores ingresos para los agricultores que la agricultura de temporal ubicada en las zonas de más bajo y casi ínfimo desarrollo económico donde es necesario encauzar la acción de las instituciones del gobierno conectadas con la agricultura para mejorar la productividad de esas regiones, donde seguramente habita la mayor proporción de mexicanos.

Con relación a este aspecto, en las zonas de riego donde prevalece la propiedad ejidal se ha creado en los últimos años un grave problema con grandes implicaciones económicas y sociales: me refiero al alquiler de las tierras ejidales. Este fenómeno meramente económico provocado por la falta de crédito que padecen los ejidatarios nulifica los beneficios de la alta productividad de esas tierras para grandes sectores de campesinos, ya que la renta que reciben los ejidatarios es muy inferior a la utilidad que obtienen los pequeños propietarios o neolatifundistas que trabajan dichas tierras. La solución de este grave problema, que se ha generalizado en muchos distritos de riego del país, está en canalizar el crédito de las instituciones privadas hacia ese sector, ya que la agricultura en esas regiones otorga las mismas seguridades que la industria y el comercio en las zonas urbanas, y si las instituciones privadas de crédito no acuden hacia el ejidatario del distrito de riego, deben crearse las instituciones de crédito necesario para que la producción agrícola la realice el propio ejidatario.

c] El carácter aleatorio de las cosechas influye sobre el ingreso de los productores agrícolas. No cabe duda que este fenómeno, ajeno completamente a la voluntad del productor agrícola, afecta seriamente a sus ingresos sobre todo en las regiones agrícolas de temporal. No existe otra forma de combatir este fenómeno que mediante la difusión y ampliación del régimen de seguridad agrícola que debe volverse obligatorio, desde luego, en los distritos de riego y estudiarse la forma de operar en la agricultura de temporal.

d] La tenencia de la tierra. En este aspecto

deben considerarse las serias desventajas económicas y sociales para el productor agrícola en el cultivo de extensiones mínimas que no producen ni para el sustento de quienes las trabajan y que aisladamente no justifican ninguna inversión que mejore su baja productividad. Este grave problema sólo puede resolverse con el ejido colectivo o creando cooperativas agrícolas de producción que constituyan unidades agrícolas que aumenten su rendimiento mediante la modernización de la técnica agrícola y el uso de abonos fertilizantes, así como con la integración de la agricultura, la ganadería, la avicultura, las artesanías y las pequeñas industrias que pueden utilizar materias primas locales. No es una mera casualidad que las zonas más pobres, las de más bajo desarrollo en el país, padezcan este grave mal de la presión demográfica sobre la tierra. Ya señalamos la existencia de una zona agraria crítica donde el campesino sólo dispone de una extensión mínima de 2.70 hectáreas de tierra de labor *per capita*.

En conclusión, el ingreso del campesino depende básicamente de su nivel de productividad y de dos factores económicos complementarios: el crédito que afluya a la agricultura y los transportes eficientes y vías de comunicación rápidas que unan los mercados agrícolas con otras regiones del país.

POLÍTICA DE SUELDOS Y SALARIOS

Desde hace varias décadas es motivo de preocupación para los economistas y sociólogos mexicanos la forma en que se distribuye el ingreso nacional, ya que la parte correspondiente al trabajo no alcanza niveles superiores al 30%, mientras el resto se concentra en muy pocas manos, como lo hemos analizado en el capítulo del ingreso.

Esta situación nos lleva a hacer dos consideraciones de primer orden: primera, que el desarrollo económico mexicano se ha financiado en gran parte con los ingresos que no han recibido las clases trabajadoras o, en otros términos, vía ahorro forzoso, ya que, como hemos visto antes, la tasa de ahorro del inversionista privado en México es una de las más bajas que conocemos; la segunda consideración es que el ahorro que ha sustentado la inversión en México se ha obtenido sacrificando el consumo de grandes sectores de la población trabajadora mexicana.

Estas afirmaciones son válidas tanto para los sueldos de los empleados públicos, federales y estatales y los empleados de las empresas privadas, así como para los salarios de los obreros tanto en empresas del sector privado como del sector público, que juntos constituyen el grueso de la clase media mexicana.

Con mucha razón Vernon, en su libro *El dilema de la economía mexicana*, afirma que las utilidades que ha generado el desarrollo económico de México deben sujetarse a un plan con dos fines: primero redistribuirlas entre amplios sectores de la economía y segundo que el grupo que las retenga las invierta correctamente.

Es decir, igual que muchos de nosotros, Vernon piensa, por una parte, que no hay una redistribución correcta de las utilidades y por ende que hay concentración del ingreso y, por la otra, que dichas utilidades no se invierten ni en los campos adecuados ni en el momento conveniente. Con justa razón Alonso Aguilar afirma:[3] "uno de los signos más reveladores del proceso de acumulación de capital en las últimas décadas ha sido el bajo nivel de los salarios" y el mismo autor cita un estudio de la Dirección General de Estadística: "durante los últimos cinco años... un 31.12 % [de la población económicamente activa], representado por 3 373 440 trabajadores, no experimentó ningún incremento en el nivel de sueldos y salarios y un 49.88 % (5 406 878 trabajadores) sólo vio crecer el nivel de sus percepciones mensuales en $ 200.00",[4] o sea que "...los trabajadores que sufrieron un notable retroceso económico o que, a lo sumo, permanecieron estancados representan el 81.0 % de la población económicamente activa del país".

[3] Alonso Aguilar M. y Fernando Carmona, *México: riqueza y miseria*, Editorial Nuestro Tiempo, p. 73.
[4] *La población económicamente activa de México, 1964-65*.

Sería muy cansado citar todas las fuentes, que son muy numerosas, donde se demuestra que hay un gran rezago de los salarios con relación a las utilidades de los empresarios en el proceso del desarrollo económico de México y nadie discute que la participación del trabajo es mínima en la distribución del ingreso nacional. Por tal motivo, me atrevo a recomendar como único postulado de política de salarios para ampliar el mercado interno lo siguiente: aumento inmediato de salarios en las empresas de alta productividad y otorgamiento de las más amplias prestaciones sociales para los trabajadores.

Sabemos por investigaciones de Nacional Financiera, S. A.,[5] que en el período de crecimiento más fuerte de la economía mexicana, de 1939 a 1950, los sueldos, salarios y suplementos *bajaron* del 30.5 % del producto territorial a 23.8 % en dicho período; en cambio las utilidades *subieron* del 26.2 % al 41.4 % en los mismos años considerados. No hay duda de que existe un verdadero deterioro del salario real.

La situación actual de los salarios sigue siendo tan mala como entonces. De acuerdo con cifras del último censo industrial de 1971, mientras el capital invertido por persona ocupada aumentó de 70 442 pesos en 1965 a 88 837 pesos en 1970, el porcentaje del valor agregado que representan las remuneraciones al personal ocupado *bajó* de 41 % en 1965 a 39.9 % en 1970. Lo anterior significa que el aumento de inversión benefició fundamentalmente a los empresarios convirtiéndose en mayores utilidades.[6]

LA POLÍTICA DE SEGURIDAD SOCIAL DEBE AMPLIARSE

No cabe duda que una de las conquistas más caras de la Revolución mexicana ha sido el estableci-

[5] *El desarrollo económico de México y su capacidad para absorber capital del exterior*, cuadro 4, p. 18.

[6] IX Censo Industrial de 1971, DGE: Datos básicos preliminares, octubre de 1972, cuadro 5, p. 33.

miento del régimen de seguridad social que ha
aumentado en forma sustancial el nivel de vida
y el poder de compra real de grandes sectores
de la población. Tal vez no es fácil cuantificar
este beneficio, pero sólo mediante la política de
seguridad social ha sido posible compensar los
bajos salarios y la limitación de ingresos reales
de estos importantes sectores de la población.

Dado que el principal problema que afecta al
desarrollo económico actual de México es el fuerte crecimiento de la población, hay dos recomen-
daciones fundamentales que deben hacerse dentro
de la nueva política de desarrollo, en relación a
esta materia: ampliar la seguridad social al campo, construyendo casas-habitación y otorgando todos los servicios de que disfrutan todos los dere-
chohabientes de la ciudad; la segunda se refiere
al seguro de desocupación.

Sobre esto último es conveniente hacer algunas
observaciones; parece que no existen estudios sobre la desocupación involuntaria en México y
cuando se habla de este fenómeno se hace mucho
hincapié en la desocupación disfrazada como un
producto típico del desarrollo económico. Sin embargo, ya muchos economistas han señalado, pero
sin estudiar a fondo el problema, que existe una
desocupación involuntaria de gran magnitud en el
campo, donde gran número de trabajadores permanecen ociosos por largos períodos, e igualmente en los centros urbanos la desocupación involuntaria existe en proporciones cada vez mayores.
Si el seguro social estudiara este problema, po-
drían darse grandes pasos para conocer sus causas
y además proteger el poder de compra de sectores muy importantes de la población.

CAPÍTULO X

POLÍTICA DE COMERCIO EXTERIOR

Sobre este aspecto, podemos afirmar que no es mucho lo que puede hacerse para estimular el comercio exterior de México, ya que, como hemos visto en otros capítulos, está determinado fundamentalmente por factores externos.

Vimos que desde el año de 1956 el coeficiente de exportaciones, o sea el tanto por ciento de la exportación sobre ingreso nacional, muestra una disminución constante de tal manera que de un nivel de 12.1 % en 1955 desciende a 8.6 % en 1957, y es de 5.3 % en 1967. Igual sucede con el coeficiente de importación que muestra una notoria disminución desde el año de 1957, que desciende de 14.9 % en 1956 a 14.0 % en 1957, a 10.7 % en 1960 y en el año de 1967 su nivel es de 8.1 % (ver gráficas 6 y 8). Esto significa, como ya lo examinamos, que el comercio exterior desempeña un papel menos dinámico dentro de la formación del ingreso nacional y, por lo mismo, ya no es un factor tan importante en el desarrollo económico como lo fue a fines de la década de los cuarentas o a principios de la década de los cincuentas.

A partir de 1970, con la creación del Instituto Mexicano de Comercio Exterior, se ha logrado mejorar las condiciones del comercio exterior estimulando y diversificando las exportaciones. En la gráfica 8 puede observarse, en los años de 1971 y 1972, un aumento del coeficiente de exportación y una disminución del de importación, pero estamos todavía muy lejos del año de 1956 en que se inicia el descenso de la importancia del comercio exterior en la economía mexicana.

EL MECANISMO DEL DESARROLLO GENERA EL
DESEQUILIBRIO

Sabido es que, como ha sido preocupación de numerosos economistas, el desarrollo económico por
sí mismo genera un desequilibrio de fomento, que
se expresa claramente en un desequilibrio de la
balanza de pagos producido por el fomento mismo
de la economía. Dicho desequilibrio consiste en
que al acelerarse el desarrollo económico crecen
las importaciones en vista de la necesidad que
existe de importar bienes de capital y materias
primas indispensables para el mismo desarrollo, y
dicho volumen de importaciones supera siempre,
sobre todo en las fases de prosperidad del ciclo,
al mismo nivel de exportaciones. Como ya lo
hemos estudiado con todo detalle, el nivel de exportaciones no depende de fuerzas internas sino
que está determinado por factores externos, es decir el nivel de actividad económica del exterior
determina el volumen total de exportaciones de la
economía mexicana. Así tenemos: por una parte,
el volumen de importaciones está dado por factores internos propios del desarrollo, el volumen de
exportaciones depende de la demanda externa, se
genera una aceleración de las importaciones frente a un retraso secular de las exportaciones y
otros factores más complejos determinan una relación de intercambio desfavorable haciendo que
cada vez se pague más por los bienes de capital
y se reciba menos por las materias primas y los
productos que exportamos.

¿Cuál es entonces la situación actual de nuestras exportaciones, de las importaciones, del turismo, de las inversiones extranjeras, de los créditos internacionales y de los movimientos de capital a corto plazo que son los renglones estratégicos de la balanza de pagos? Podemos decir en
pocas palabras que nos enfrentamos a un desequilibrio secular, o mejor dicho, a un déficit permanente de la balanza de pagos provocado fundamentalmente por un excedente de importaciones, que
en algunos años ha logrado ser neutralizado por
la afluencia del turismo y los préstamos a largo
plazo; ya que ni las exportaciones ni las inversiones extranjeras permiten sufragar el déficit de la

balanza de pagos. Hay una clara asociación entre las alternativas de alza y baja, aceleraciones y retraso del desarrollo económico de México y las fluctuaciones de los saldos de la balanza de pagos, como ya lo examinamos en capítulos anteriores. Los excedentes de importaciones que se han vuelto permanentes desde que el desarrollo cobró impulso contribuyen en forma muy importante a determinar dichos saldos. El desequilibrio de fomento de origen externo está indicado por esos excedentes. En los últimos diez años, aunque muestran constantes fluctuaciones, han aumentado de 335 a 934 millones de dólares, de 1961 a 1971, y en 1972 llegan a 1 123 millones de dólares, lo que no tiene precedente en la historia de México (ver gráfica 7 y cuadro IV).

En realidad el único factor neutralizador de estos serios déficit de la balanza comercial o de los excedentes de importaciones está representado por el turismo. Puede afirmarse que a partir de 1958 la afluencia de dólares por concepto de turismo extranjero supera el excedente de importaciones.[1]

En 1958 la afluencia de dólares por turismo ascendió a la cifra de 449.7 millones de dólares y el excedente de importaciones en ese año fue de 420 millones de dólares; en el año de 1965 ya el turismo cubría con creces el excedente de importaciones; en dicho año el turismo nos permitió obtener 782.1 millones de dólares, mientras que el excedente de importaciones fue de 446 millones de dólares. Incluso supera al año de 1964 en que dicho excedente fue mayor y que alcanzó la cifra de 471 millones de dólares. Tales consideraciones nos indican que solamente el turismo está permitiendo que haya saldos positivos de la balanza de pagos, aunque sean pequeños y se hayan corregido sobre todo a partir de 1962.

A partir de 1970, los déficit de la balanza comercial han ido en aumento en la forma siguiente: 1970,

[1] En 1960 el excedente de importaciones fue de 447 millones de dólares y el turismo aportó 521 millones de dólares. Sin embargo, el "ingreso neto" por turismo no neutraliza el excedente de importaciones porque sólo alcanzó la cifra de 259.7 millones de dólares (cuadro XVIII).

1 088 millones de dólares; 1971, 934 millones de dólares y 1972, 1 123 millones de dólares que no pudieron ser compensados por los ingresos netos de turismo, que fueron: 1970, 679 millones de dólares; 1971, 799 millones de dólares y 1972, 898 millones de dólares. Por eso la capacidad de endeudamiento de México, a partir de 1970, ha sido rebasada (ver cuadros XIV y XVIII).

UNA POLÍTICA DE COMERCIO EXTERIOR CONGRUENTE CON LA POLÍTICA DE AMPLIACIÓN DEL MERCADO INTERNO

Si antes hemos señalado que la política de inversión y la política de consumo deben proponerse ampliar el mercado interno, no cabe duda que esto puede complementarse con una política de comercio exterior congruente con los fines que antes hemos señalado. Es decir, no se concibe una política de comercio exterior diferente o que no tienda a consolidar la ampliación del mercado interno. Significa entonces que deberemos proponernos aumentar el volumen de producción para bajar los costos de los artículos de exportación de manera que se pueda abastecer con creces el mercado interno y lograr precios de competencia en los mercados internacionales. Por ejemplo, en el caso del trigo y del arroz, mediante un aumento de sus rendimientos, es decir, un aumento de la productividad en estos cultivos, bajar los costos significa tener precios más bajos que aumentarán los volúmenes de consumo en el mercado interno y permitirán, con un aumento sustancial de la producción, sobre todo derivada de los distritos de riego, tener excedentes a buenos precios para competir en el mercado internacional. En conclusión, una política de esta naturaleza significa que debemos estimular el desarrollo de grandes empresas que permitan grandes volúmenes de producción a costos más bajos y colocarlas en posibilidades de competir con los mercados del exterior.

DIVERSIFICAR EXPORTACIONES Y BUSCAR NUEVOS MERCADOS

Una política de esta naturaleza nos lleva de inmediato a insistir en diversificar las exportaciones, ya que podremos exportar todos aquellos productos que se puedan obtener a costos bajos y en volúmenes de producción suficientes para tener excedentes de exportación, pero para ello será necesario también buscar nuevos mercados, ya que no es muy conveniente seguir manteniendo la dependencia que el comercio exterior de México tiene de un solo país; debemos explorar nuevos mercados en Europa y en los países socialistas, donde ya se ha comprobado que podemos encontrar suficientes compradores. A partir de 1970 la política de comercio exterior se está orientando en esta dirección.

DEBE UNIFICARSE EL CRITERIO SOBRE POLÍTICA DE COMERCIO EXTERIOR

Es sorprendente el número de organismos que intervienen en el manejo de la política de comercio exterior; no cabe duda que mucho se ganaría si se lograra fundir en una sola dependencia el numeroso aparato administrativo que se dedica al manejo de este renglón y que como es de esperarse en muchos casos aplica criterios diferentes en el manejo del comercio exterior. Es natural que no coincidan siete secretarías de Estado que intervienen, dos bancos, tres comités y otras dependencias. En la actualidad (1973) el Instituto Mexicano de Comercio Exterior, de reciente creación, está tomando en sus manos la política de comercio exterior, aunque no dejan de intervenir otras instituciones.

DEBE REVISARSE LA POLÍTICA PROTECCIONISTA

No cabe duda que uno de los expedientes por el cual México pudo avanzar mucho en el terreno de la industrialización fue la política de sustitución de importaciones, dando una protección decidida a las industrias que nacieron al calor de ese instrumento.

Pero si esa política fue sana hace una o dos décadas, cabe decir que en la actualidad ya es conveniente revisarla por varias razones: primero, porque existen muchas industrias cuyos costos son sumamente altos y que debido al exceso de protección no se han preocupado jamás por colocarse en condiciones de competencia internacional; segundo, porque ya hace falta pensar en los intereses del consumidor, puesto que no es posible seguir sosteniendo industrias que, constituidas en verdaderos monopolios, siguen la política de vender solamente con el propósito de obtener el máximo de utilidades amparadas por la protección oficial; cuidar al consumidor significa ampliar el mercado interno, bajar los costos y poder competir en el mercado internacional, y por último cabe considerar que a veces es conveniente autorizar la importación de ciertas materias primas y bienes de capital para poder exportar algunos artículos manufacturados de calidad superior que requieren una técnica elevada que todavía no es posible obtener en nuestro país.

EL GASTO TURÍSTICO DESENFRENADO

Si tradicionalmente el turismo ha constituido la principal fuente de divisas para fortalecer la balanza de pagos, se observa que, desde 1960, han subido peligrosamente los gastos de los turistas nacionales en el exterior. Hasta ese año los egresos por turismo no habían rebasado el 26 % de los ingresos por el mismo concepto; pero ya desde 1962 los gastos de los turistas nacionales ascienden en forma acelerada llegando a casi la mitad del turismo del exterior en 1965. En consecuencia, los ingresos netos por turismo son cada día menores (cuadro XVIII).

Es mi opinión que el Estado debe intervenir en este renglón, fijando una suma máxima de dólares que nuestros turistas puedan gastar en sus viajes al extranjero.

A partir de 1970, debido a la nueva política de comercio exterior que se está siguiendo, se nota una recuperación en el ingreso neto por turismo, pero todavía las salidas de dólares por concepto de turismo nacional que va al extranjero representan el 30 % de las entradas (ver el cuadro XVIII).

CAPÍTULO XI

LA POLÍTICA MONETARIA Y FISCAL

El volumen de ocupación en nuestra economía, como en cualquier otra, está determinado por la inversión y el consumo, o sea que el nivel de la ocupación está determinado por la demanda de toda clase de bienes y servicios.

Dadas las características de nuestra economía, desempeñan un papel de primera importancia en la generación del ingreso los factores de orden externo que actúan a través de las exportaciones y la afluencia de capital, como creadores de ingreso, y las importaciones y las salidas de capital, como canceladoras de ingreso. Las inversiones del gobierno representan también un factor tan importante como los factores externos en la generación del ingreso.

Los factores externos (excedentes o déficit de exportaciones) actúan sobre la demanda interior a través de la balanza de pagos y del sistema bancario. El gobierno (déficit o superávit del presupuesto) determina en forma importante la actividad, mediante sus inversiones en obras públicas de desarrollo, que generan poder de compra en forma considerable. El desarrollo económico de México ha dependido en gran medida de la influencia alternativa de estos dos factores, que a veces se conjugan, en ocasiones se neutralizan, pero siempre determinan la actividad económica del país.

En muchos casos es importante considerar el fenómeno del atesoramiento o desatesoramiento, que, dadas las condiciones actuales de la distribución del ingreso nacional, es un factor estimulante o desanimador del volumen de inversión.

De esta manera, el ingreso nacional del país se convierte en el gasto total en bienes y servicios de carácter nacional o importaciones. Según el nivel del ingreso nacional será el monto del con-

sumo, del ahorro y la inversión, o en otras palabras, según sea el nivel del ingreso nacional serán
las importaciones o la demanda interna de bienes
y servicios. En todo caso, deberá tomarse en
cuenta, desde luego, la propensión marginal a
importar y a consumir, y el mecanismo de ciertos elementos vinculadores, como el multiplicador
de inversión, el de comercio exterior y el efecto
demostración. Ya hemos señalado antes las distin-
tas fuerzas o condicionantes que actúan sobre las
exportaciones e importaciones. Brevemente, podemos repetir que las exportaciones dependen del
nivel de la actividad externa, o más concretamente, del nivel del ingreso en Estados Unidos, que
es nuestro principal comprador. En cambio, las
importaciones dependerán fundamentalmente del
nivel de actividad económica interna, es decir,
del nivel de nuestro propio ingreso. El retraso de
las importaciones durante la fase descendente del
ciclo es un fenómeno bien conocido.

De esta manera, la oferta monetaria o el poder
de compra en manos del público estará determinado en primer término por el volumen o el nivel
del ingreso nacional. Cuando la economía fluctúa
durante las fases del ciclo económico o cuando crece durante el desarrollo económico, necesariamente tendrá que variar la oferta monetaria, ya
que está regida por las condiciones de la reserva
monetaria, que a su vez depende del saldo de la
balanza de pagos. Hay que tomar en cuenta también que tanto el sistema bancario como el gobierno federal tienen la capacidad de crear poder
de compra que pasa a formar parte del gasto nacional: el gobierno mediante el déficit presupuestal, y el sistema bancario mediante la creación de
dinero por medio del mecanismo de depósitos ban-
carios.

En resumen, la actividad económica interna de-
penderá del volumen de inversión generada por
factores externos o internos. Por lo mismo, para
determinar las causas que alteran el equilibrio
monetario será conveniente analizar los factores
determinantes del volumen de inversión o las
fuentes generadoras del ingreso, tanto de origen
interno o externo, las que nos dirán en un momento dado cuáles son las fuerzas inflacionistas

o deflacionistas que actúan en el sistema económico y el papel que desempeña dentro de estas fuerzas la política monetaria.

ANÁLISIS POR SECTORES

Según el procedimiento que se ha ensayado en otros países, podemos dividir nuestra economía en varios sectores en los que investigaremos las fuerzas inflacionistas o deflacionistas que contribuyen al equilibrio o desequilibrio del ingreso monetario.

Por lo mismo, analizaremos los siguientes sectores, por su importancia:

i] Los factores externos que se reflejan en el saldo de la balanza de pagos.

ii] La política de gastos del gobierno federal.

Si logramos determinar cómo varían estos sectores o cómo se comportan dentro del desarrollo económico, podremos crear un instrumental que nos permita localizar instantáneamente las fuentes de desequilibrio de nuestra economía en un momento dado. Si encontramos el reflejo de los síntomas de desequilibrio en el sistema monetario, podremos localizarlos rápidamente mediante el manejo de ciertas estadísticas bancarias, lo que nos permitirá señalar en forma aproximada los desequilibrios del sistema económico. Por ejemplo, pongamos por caso que en un momento dado los factores externos fueran determinantes de nuestra actividad económica, como cuando existe una gran demanda exterior de artículos nacionales. En este caso observaremos inmediatamente los siguientes síntomas de expansión:

1] Saldo favorable de la balanza de pagos; 2] aumento de las reservas del Banco de México y, por ende, de las reservas del sistema bancario; 3] aumento de las recaudaciones del gobierno federal; 4] aumento de la inversión privada o estímulo a la inversión privada; 5] aumento del nivel de precios, y, por último, 6] desatesoramiento.

El aumento de las reservas bancarias, aun en el supuesto de que se manejen los controles establecidos hasta la fecha por el Banco de México, traerá consigo un aumento de los depósitos y del circulante.

En esa forma se iniciará la fase ascendente de la actividad económica que, en resumidas cuentas, no significa sino un aumento del poder de compra, un aumento del consumo y la inversión nacionales y, en último término, un aumento del ingreso nacional y un mayor desarrollo económico. En el caso de una depresión se presentará la secuela contraria.

Desgraciadamente, en muchas situaciones este esquema teórico se vuelve más complicado porque las variables no se mueven en la misma dirección, y encontramos el fenómeno de que frente a un factor inflacionista de carácter externo surja una política deflacionista del sector gobierno o de la iniciativa privada, o de ambos a la vez, que neutralizan los saldos favorables de la balanza de pagos, o a la inversa, que frente a factores estimulantes de origen externo nos encontremos con factores internos que acrecientan el estímulo del exterior.

LA POLÍTICA MONETARIA

Tradicionalmente el Banco de México ha seguido una política monetaria, no de desarrollo económico, sino que se ha propuesto otros objetivos: evitar el aumento de precios.

Todo el mundo sabe que dicho objetivo no se ha conseguido y que, en cambio, han surgido manifestaciones muy peligrosas en la economía, que podemos resumir en la forma siguiente:

1] Mala distribución del dinero disponible, con insuficiencia de dinero en el mercado de capitales.

2] Disminución de los incentivos para invertir, por el alto precio del dinero a largo plazo, que viene a agravar el serio problema de la rigidez de la elasticidad de la curva de la producción.

3] Extrema liquidez del sistema bancario, con

volúmenes exagerados de reservas monetarias, que constituyen un verdadero atesoramiento, con todas las consecuencias deflacionistas del mismo, y que es un fuerte estímulo para el atesoramiento por los particulares.

4] La inversión privada no aumenta en la forma que podría permitirlo la disponibilidad interna de dinero, creando nuevos bienes de consumo, y, por ende, se desperdicia lamentablemente la oportunidad que representa para el desarrollo económico del país la prosperidad externa.

5] Aumento de la tasa de interés, por la escasez del dinero en el mercado de inversión, que afecta gravemente los incentivos para invertir, la eficiencia marginal del capital y, a final de cuentas, el volumen de inversión.

6] El alto nivel de la tasa de interés influye sobre la tasa de utilidades determinando que esta última sea sumamente elevada para mantener un volumen dado de inversiones.

7] Mala distribución del ingreso nacional con una fuerte concentración de ingresos en un sector reducido de la población, e ingresos sumamente bajos para la gran mayoría de la población.

En conclusión, frente a un vigoroso crecimiento de la población y una gran rigidez en la oferta de factores productivos, con precios de las mercancías y precios del dinero muy altos, la situación actual es la siguiente:

1] Escasez de dinero para inversión (freno a inversiones).

2] Demasiado dinero para el consumo, concentrado en pocas manos (aumento de precios).

3] Tasa de interés muy elevada (freno a inversiones).

4] Concentración de utilidades y de poder de compra en pocas manos. Mala distribución del ingreso nacional (disminución del consumo).

5] Disminución del consumo general de la población y presión sobre el mercado de consumo de unos pocos frente a un aumento lento de la producción (aumento de precios).

Esta política monetaria que frena el desarrollo ha traído consigo una tasa baja de inversión.

Hemos visto que la tasa de inversión en México ha sido una de las más bajas del mundo. En dos períodos, 1950-1956 y 1957-1962, la inversión como porciento del producto nacional bruto se ha mantenido entre un 13 y 14 % (ver cuadro XI); frente a otros países como Japón donde ha oscilado entre el 20 y el 23 % del PNB, con tasas de crecimiento medio anual de la población que no llegan al 1.5 %, mientras que en México se alcanza el 3 y 3.5 % anual.[1]

Con una política fiscal adecuada que aproveche el consumo excesivo de los reducidos sectores que concentran el ingreso, México fácilmente puede aumentar su tasa de inversión como porciento del PNB al 25 % anual como mínimo.

La solución se encuentra en que el gobierno debe seguir una política monetaria congruente con los niveles actuales de desarrollo económico, y que consista en un estímulo a la inversión privada, abaratando el dinero y permitiendo que pueda disponerse de todo el dinero que sea necesario para la inversión, que aumente preferentemente la disponibilidad de bienes de consumo, completando su instrumental de control monetario con las operaciones de mercado abierto para regular la oferta monetaria en el sector de inversión.

Mediante las operaciones de mercado abierto puede el gobierno regular la cantidad de dinero, evitando las presiones inflacionistas en el sector de inversión. El sector del consumo podrá disponer de todos los fondos que exija el proceso productivo a corto plazo y el sector de la inversión deberá tener también todo el dinero que necesite, utilizando las reservas acumuladas, lo cual canalizará el ahorro privado hacia la inversión. Esto producirá de inmediato los siguientes efectos:

1] Baja en la tasa de interés.
2] Desatesoramiento de particulares.
3] Aumento de los incentivos para invertir.

[1] En 1965, la inversión total en México como porciento del producto nacional bruto apenas registra un pequeño aumento, alcanzando la cifra de 16.17 % (ver cuadro XVII). Para 1970, había alcanzado un 20 % del PNB y a ese nivel se ha sostenido hasta 1972.

A largo plazo podrá producir los siguientes efectos:

1] Aumento de la producción.
2] Aumento del ingreso nacional.

HACIA UNA NUEVA POLÍTICA MONETARIA

El ingreso nacional. Inversión, ahorro y consumo

Hasta ahora, la política monetaria se ha propuesto el control del nivel general de precios, sin tomar en cuenta que tanto la cantidad de dinero como el nivel de precios son variables determinadas por el cambio del ingreso nacional, es decir, que se puede llegar a pensar que se sobrestiman las medidas de carácter monetario, tratando de obtener con ellas modificaciones que son consecuencias de variables de más largo alcance.

Poniendo las cosas en su lugar y de acuerdo con el análisis que hemos hecho en los capítulos anteriores, se demuestra que la economía mexicana, o mejor dicho, el ingreso nacional de México está determinado principalmente por la interacción de dos fuerzas poderosas: la influencia de factores cíclicos del exterior y el volumen de inversión interna del Estado y de los particulares. En esta forma, si revisamos cifras del ingreso nacional de México, desde 1929 a la fecha, veremos que hasta el año de 1935 los factores cíclicos de origen externo aparecen con evidente claridad: en el auge de 1929, la depresión de 1932 y la recuperación de 1934. Desde esta fecha el ingreso nacional mexicano puede representarse con una línea ascendente que muestra pequeñas depresiones o más bien disminuciones del ritmo de ascenso en los años de 1938, 1947, 1953, 1961 y 1971, como consecuencia de las depresiones de origen externo. El crecimiento más vigoroso de la economía mexicana se asocia perfectamente con la fase de prosperidad externa. Igualmente, puede afirmarse que las depresiones del exterior representan un freno para el desarrollo económico. De esto se deriva la primera enseñanza que parecen haber olvidado nuestras autoridades monetarias: que debemos aprovechar la prosperidad del exterior para alcanzar el mayor desarrollo económico, y estar preparados para no frenar el desarrollo durante la depresión del exterior.

Por lo mismo, el gasto total, que no es otra cosa que el ingreso nacional y que incluye como es sabido el consumo y la inversión, depende, como hemos visto, de las alzas y bajas de la actividad económica externa, principalmente de Estados Unidos, de la política hacendaria del gobierno federal, principalmente de su gasto en obras públicas, y del gasto de los particulares. En muchos casos, la influencia de los factores externos es determinante. De manera que los factores externos y la política de gastos del gobierno federal condicionan en forma muy importante el gasto total. Actuando sobre estas dos variables se puede determinar en forma muy aproximada el gasto total de la economía mexicana. Tal cosa significa que las demás variables del sistema, como el consumo, la inversión y sus correlativas —la propensión a consumir y la propensión a invertir, la tasa de interés y la eficiencia marginal de capital, así como el nivel de salarios y la oferta monetaria—, están influidas fuertemente por esas dos grandes fuerzas condicionantes.

Renglones estratégicos de la balanza de pagos

Los factores externos se reflejan, como vemos, en ciertos renglones externos que podríamos llamar estratégicos de la balanza de pagos. Desde luego, y en primer término, cabe señalar las exportaciones e importaciones de mercancías que se manifiestan en los saldos de la balanza comercial. Hemos visto que los años de prosperidad coinciden con saldos negativos pequeños o saldos positivos de la balanza comercial, y los años de depresión o de baja de la actividad económica se asocian claramente con saldos negativos muy grandes de la balanza comercial. Por ende, la vigilancia estricta del saldo de la balanza comercial es de primer orden para mantener el equilibrio monetario de la economía mexicana.

El siguiente renglón de importancia primordial en el equilibrio exterior está dado por la cuenta de viajeros o más concretamente por los ingresos generados por el turismo.

Estos ingresos casi siempre han permitido neutralizar los saldos desfavorables de la balanza comercial, representando el pilar más fuerte en que se sostiene el equilibrio de la balanza de pagos; por lo mismo su vigilancia es también muy importante. Los movimientos de capital y los préstamos internacionales representan igualmente renglones estratégicos de la balanza de pagos, cuya observancia debe mantenerse de manera constante. En muchos casos la salida brusca e inesperada de capital ha antecedido a las devaluaciones mexicanas, y también la influencia de capital ha representado un componente importante de los saldos favorables de la balanza de pagos. Conviene por lo mismo establecer una estricta vigilancia de estos renglones.

LA POLÍTICA FISCAL

La política fiscal, complemento indispensable de la política monetaria, debe descansar en el gasto público y el manejo de los impuestos.

Es sabido que los déficit o superávit presupuestales han estimulado o neutralizado en cierta medida los factores favorables o desfavorables del exterior. De aquí se desprende la gran importancia que tiene para los fines de análisis de la economía mexicana mantener una estricta observancia de la política de gastos públicos. Pero a mi entender no sólo basta el déficit o el superávit presupuestal para neutralizar los factores externos; es conveniente señalar con toda precisión los sectores de la economía donde debe actuar el gasto público o de donde deben derivarse los ingresos públicos. Por lo mismo, una política fiscal redistributiva es inaplazable para el control del ingreso monetario en la economía mexicana. Una política de esta naturaleza es complemento indispensable para una política monetaria correcta, y podría contribuir en cierta medida a resolver el grave desajuste creado por la mala distribución del ingreso y el bajo poder de compra de grandes sectores de la población mexicana.

Estoy de acuerdo con Ifigenia M. de Navarrete cuando afirma:[2]

El gobierno de México tiene un campo de acción muy amplio y requiere, para el cumplimiento de sus funciones, una parte sustancial del ingreso nacional; quizá esa parte debe ser no menor del 20 %, ya que los países cuyos servicios y prestaciones sociales son más o menos satisfactorios, captan una proporción mayor. Por su parte, la empresa y el consumidor, en sus decisiones de consumo y ahorro, también desempeñan una importante tarea en el progreso del país. En consecuencia, el gobierno debe conciliar los intereses fiscales de la colectividad, de las empresas y de los particulares dando un trato favorable a todos aquellos que emprendan una actividad productiva, estén dispuestos a arriesgar un capital o a posponer un consumo.

Una política impositiva eficaz para el desarrollo económico debe tener, como objetivos fundamentales, los siguientes:

I. Transferir recursos de los particulares al Estado, sin alteraciones en la estabilidad monetaria y en el nivel de precios.

II. Alentar las actividades productivas y canalizar el uso de los recursos para lograr un ritmo de crecimiento económico que eleve el ingreso real por habitante. Para tal fin deberán utilizarse los impuestos directos e indirectos, junto con un sistema general de subsidios y exenciones que aligeren la carga fiscal de aquellas actividades que se desee fomentar.

III. Atenuar las disparidades en el ingreso aplicando el principio de progresividad en los impuestos, acción que deberá complementarse con la prestación pública de servicios colectivos básicos a toda la población disponible para re-

[2] Ifigenia M. de Navarrete, *Política fiscal de México*. Escuela Nacional de Economía, UNAM, México, 1964, pp. 175-176.

cibirlos, independientemente de su nivel de ingresos.

Es decir, la proporción que de su ingreso paguen los individuos en impuestos (directos o indirectos) debe aumentar a medida que asciendan en la escala de ingresos. Los impuestos en conjunto —muy especialmente los directos— deben estar en función de la capacidad económica del individuo y señalar un límite inferior de ingresos en el cual éste quede exento de gravámenes directos. Se logrará una redistribución efectiva del ingreso si a niveles bajos de éste los beneficios por servicios colectivos que reciba el individuo del Estado son mayores que los impuestos que paga, y esta relación desciende y se vuelve inversa a medida que el individuo se encuentra en una situación económica más holgada. Éste es el verdadero sentido redistribuidor de la política fiscal, el que permite realizar cambios en la estructura social y económica de un país sin tener que recurrir a una revolución armada: la reforma social a través de la política fiscal. Esta meta debe alcanzarse fomentando, al mismo tiempo, el crecimiento económico. He aquí, pues, la tarea que tenemos por delante y por cuyo cumplimiento debemos luchar como profesionistas y como ciudadanos, presionando a las autoridades gubernamentales para continuar e integrar la Reforma Fiscal.

Propensión a invertir. Tasa de interés y eficiencia del capital

El manejo de estas variables está fuertemente determinado por una correcta política monetaria y fiscal. El problema medular de dicha política debe ser, a mi juicio, no el control de precios, que puede lograrse por otros caminos, sino el estímulo a la inversión. La política monetaria y fiscal que conviene al desarrollo económico actual debe lograr la mayor canalización de fondos al mercado de inversión. Por lo tanto, debe enfocar todas sus baterías sobre la propensión a invertir y, por lo mismo, sobre la tasa de interés y la eficiencia marginal del capital. Mediante la canalización de fondos hacia la inversión, utilizando todos los fondos disponibles provenientes tanto de factores externos como internos, se puede lograr una disminución de la tasa de interés y un aumento de la eficiencia marginal del capital, ya que uno de los elementos de esta última, o sea las previsiones de ganancias que se basan en la confianza, se fortalece fundamentalmente mediante la afluencia de dinero hacia la inversión. Los instrumentos fundamentales para realizar esta política se encontrarán en las operaciones de mercado abierto y en el robustecimiento del mercado de valores, que permitirá atraer los capitales hacia la inversión. Siendo muy numerosas las oportunidades de invertir en nuestra economía y habiendo abundancia de recursos disponibles, una mayor elasticidad de la oferta monetaria proveniente del crédito bancario permitirá a corto plazo un fuerte estímulo de la inversión, que se traducirá, en último análisis, en un aumento de la producción. Si en todo caso se logra aumentar la producción de bienes de consumo inmediato, como lo está exigiendo el aumento de la población, serán mayores los beneficios para nuestra economía.

Nivel general de precios

Hasta ahora el problema de precios, que sólo se ha atacado mediante una política monetaria equivocada y controles directos incompletos y fragmentarios, constituye un punto clave en el desarrollo económico. El aumento de precios que se registra en la economía mexicana representa el obstáculo más grave para el desarrollo económico. Los precios, como síntomas que son de otros fenómenos económicos, nos están revelando en estos momentos que algo anda mal en nuestra economía, y, por lo mismo, que la política que se ha seguido para su control no es la adecuada.

Con una política monetaria y fiscal que facilite la afluencia de dinero a la inversión, podrá lograrse un aumento de la producción, y si, como anteriormente dijimos, tal producción es de bienes de consumo inmediato, se podrá tener el nivel de precios que se quiera de acuerdo con el ritmo de desarrollo económico. Conviene señalar que, en un país en desarrollo como el nuestro, no son los precios estables o en descenso los que más convienen para el mismo desarrollo, sino los precios ligeramente en ascenso que constituyan un estímulo para el inversionista, y que marchen al unísono del aumento del ingreso nacional y del poder de compra de la población.

Cabe señalar que el nivel general de precios no sólo puede determinarse por factores monetarios, sino que habrá que tomar en cuenta ciertos obstáculos reales al aumento de la producción, o sea lo que en otros términos se conoce como rigidez de la oferta de recursos productivos, la política de salarios, la de transportes y la de producción agrícola. La ausencia total de una verdadera política de salarios nos indica hasta qué grado se ha atacado mal el problema de precios.

CONCLUSIONES SOBRE POLÍTICA MONETARIA Y FISCAL

1] La oferta monetaria, como el nivel de precios, el nivel de salarios, la tasa de interés y otras variables del sistema económico están determinadas, en la economía mexicana como en cualquier otra economía, por las variaciones del ingreso nacional, que determinan los cambios del consumo y el ahorro. Los cambios en el ingreso nacional nos indicarán las condiciones del equilibrio monetario. A un ingreso nacional en aumento, como es el caso actual de la economía mexicana, deberá corresponder necesariamente una oferta monetaria en aumento.

2] La dinámica de la economía mexicana está sujeta al siguiente mecanismo: la inversión que determina el volumen del gasto total proviene principalmente del exterior y de la inversión pública interna. Un efecto estimulante de estos factores se traducirá en un aumento del poder de compra, inicialmente de los exportadores y de la población conectada con las obras públicas. Igualmente, las reservas del sistema bancario registrarán un aumento que será la base de una ampliación de la oferta monetaria. La misma secuela seguirán el nivel de precios, la tasa de salarios y la tasa de interés, así como la eficiencia marginal del capital. La conclusión será un aumento del volumen de ocupación o un desplazamiento de la población de actividades menos productivas a otras más productivas, o sea un aumento de la productividad. Cuando las fuerzas impulsoras disminuyen, la mecánica de la economía funcionará a la inversa.

3] Debe aprovecharse en forma total la fase de prosperidad externa para aumentar el ritmo de desarrollo económico. La mejor manera consiste en canalizar el fuerte aumento de la oferta monetaria que se genera en la fase ascendente del ciclo hacia la inversión. La política bancaria y, en general, la política monetaria, debe subordinarse a esta finalidad y por lo mismo durante la fase de prosperidad deben utilizarse los fondos disponibles para aumentar el volumen de inversión.

4] Debe establecerse una mayor vigilancia sobre los verdaderos indicadores de los cambios en la actividad económica mexicana, que son:

- a] El ingreso nacional con sus integrantes, el consumo y el ahorro;
- b] El volumen de inversión pública y privada;
- c] El saldo de la balanza comercial;
- d] El saldo de la balanza de pagos;
- e] Los movimientos de capitales;
- f] El turismo;
- g] La tasa de interés;
- h] La tasa de utilidades;
- i] Las reservas bancarias;
- j] La compra-venta de valores;
- k] El nivel general de precios;
- l] El nivel general de salarios, y
- m] Los ingresos del gobierno federal.

5] Es inaplazable estructurar una nueva política monetaria y fiscal que se proponga fundamentalmente el estímulo de la inversión, y olvidar las finalidades secundarias, como son las relativas al control de precios, sobre las cuales puede actuarse por otros caminos más efectivos. Esta nueva política monetaria deberá tener como instrumentos principales de realización las operaciones de compra-venta de valores en el mercado abierto y el robustecimiento del mercado de valores, y la política fiscal deberá proponerse fundamentalmente la redistribución del ingreso.

6] Es conveniente estructurar en forma inaplazable una adecuada política fiscal complementaria de la nueva política monetaria que tenga un carácter redistributivo, y que permita aumentar, aunque sea en parte, el poder de compra de la gran población mexicana.

APÉNDICE ESTADÍSTICO

CUADRO I. *Tasa de desarrollo de la economía mexicana, 1934-1972 (1934 a 1962: precios de 1950; 1963 a 1972, precios de 1960)*

Años (1)	PNB. Miles de millones de pesos (2)	Crecimiento % (3)	Población (millones de habitantes al 30 de junio de cada año) (4)	Crecimiento % (5)	Tasa de desarrollo (6)
1934	15.9	6.7	17.8	1.7	3.9
1935	17.0	6.9	18.1	1.7	4.0
1936	18.5	8.5	18.4	1.7	5.0
1937	19.1	3.4	18.7	1.7	2.0
1938	19.5	1.8	19.1	1.7	1.0
1939	20.5	5.3	19.4	1.7	3.1
1940	20.7	1.1	19.6	1.7	0.6
1941	23.3	12.4	20.3	2.7	4.6
1942	26.4	13.2	20.9	2.7	4.9
1943	27.4	3.7	21.4	2.7	1.4
1944	29.7	8.5	22.0	2.7	3.1
1945	32.0	7.5	22.6	2.7	2.8
1946	34.1	6.6	23.2	2.7	2.4
1947	34.5	1.2	23.8	2.7	0.4
1948	36.1	4.5	24.5	2.7	1.7
1949	37.6	4.3	25.1	2.7	1.6
1950	40.6	10.3	25.8	2.7	3.8
			26.5	3.1	2.4

Año					
1953	45.6	0.6	28.0	3.1	1.3
1954	50.4	10.5	28.8	3.1	0.2
1955	54.8	8.7	29.7	3.1	3.4
1956	58.2	6.3	30.5	3.1	2.8
1957	62.7	7.7	31.4	3.1	2.0
1958	66.2	5.5	32.3	3.1	2.5
1959	68.1	2.9	33.3	3.1	1.8
1960	73.5	7.9	34.9	3.1	0.9
1961	76.0	3.5	36.1	3.4	2.5
1962	79.7	4.8	37.3	3.4	1.0
1963 [1]	178.5	6.3	38.7	3.4	1.4
1964	199.4	11.7	40.0	3.6	1.8
1965	212.3	6.5	41.4	3.6	3.2
1966	227.0	6.9	42.8	3.6	1.8
1967	241.3	6.3	44.3	3.5	1.9
1968	260.9	8.1	45.8	3.5	1.8
1969	277.4	6.3	47.4	3.3	2.3
1970	296.6	7.7	49.0	3.4	1.9
1971	307.5	3.6	50.7	3.4	1.0
1972	330.5	7.5	52.4	3.4	2.2

FUENTE: Para el producto nacional bruto: De 1934 a 1949, E. Pérez López, "El producto nacional", cap. XVIII de *México, 50 Años de Revolución*, FCE, México, 1963, cuadros 3 y 6, pp. 588-89 y 591. De 1950 a 1962, *Informe del Banco de México, S. A.*, 1966, cuadro 1, p. 57, y para la población, Dirección General de Estadística.

1 A partir de 1963, el PNB a precios de 1960. Para 1971 y 1972: Población calculada aplicando la tasa de incremento anual de 3.4% y para el PNB de 1972 se calculó aumentando un 7.5% sobre 1971.

CUADRO II. *Crecimiento del* PNB *per capita en términ*
reales (en porcientos)

Años	Crecimiento del PNB real. Tasa anual	Crecimiento de la población. Tasa anual	Crecimiento del PNB per capita. Tasa anual	Tendenc $Y = 3.4 - 0.03 \times$ Tasa anual
1934	6.7	1.7	5.0	4.0
1935	6.9	1.7	5.2	3.9
1936	8.5	1.7	6.8	3.9
1937	3.4	1.7	1.7	3.9
1938	1.8	1.7	0.1	3.9
1939	5.3	1.7	3.6	3.8
1940	1.1	1.7	— 0.6	3.8
1941	12.4	2.7	9.7	3.8
1942	13.2	2.7	10.5	3.7
1943	3.7	2.7	1.0	3.7
1944	8.5	2.7	5.8	3.7
1945	7.5	2.7	4.8	3.6
1946	6.6	2.7	3.9	3.6
1947	1.2	2.7	—1.5	3.6
1948	4.5	2.7	1.8	3.6
1949	4.3	2.7	1.6	3.5
1950	10.3	2.7	7.6	3.5
1951	7.5	3.1	4.4	3.5
1952	4.0	3.1	0.9	3.4
1953	0.6	3.1	— 2.5	3.4
1954	10.5	3.1	7.4	3.4
1955	8.7	3.1	5.6	3.3
1956	6.3	3.1	3.2	3.3
1957	7.7	3.1	4.6	3.3
1958	5.5	3.1	2.4	3.3
1959	2.9	3.1	— 0.2	3.2
1960	7.9	3.1	4.8	3.2
1961	3.5	3.4	0.1	3.2
1962	4.8	3.4	1.4	3.1
1963	6.3	3.4	2.9	3.1
1964	11.7	3.6	8.1	3.1
1965	6.5	3.6	2.9	3.0
1966	6.9	3.6	3.3	3.0
1967	6.3	3.5	2.8	3.0
1968	8.1	3.5	4.6	3.0
1969	6.3	3.3	3.0	2.9
1970	7.7	3.4	4.3	2.9
1971	3.6	3.4	0.2	2.9
1972	7.5	3.4	4.1	2.8

FUENTE: Cifras del cuadro I y tendencia calculada por autor.

CUADRO III. *Promedios de la tasa de crecimiento del producto nacional bruto real, de la población, de la tasa de desarrollo y del PNB per capita real (1934-1972)*

Periodo	Del PNB a términos reales (1)	De la población (2)	Del desarrollo (1) / (2)	Del PNB per capita real (1)-(2)
1] 1934-40	4.8	1.7	2.8	3.1
2] 1941-50	7.2	2.7	2.7	4.5
3] 1951-60	6.2	3.1	2.0	3.1
4] 1961-65	6.5	3.4	1.9	3.1
5] 1966-70	7.1	3.5	2.0	3.6
1971-72	5.6	3.4	1.6	2.2

FUENTE: Elaborado con cifras de los informes anuales del Banco de México, S. A. y de la Dirección General de Estadística, SIC.

CUADRO IV. *México: Desarrollo económico. Comercio E.
terior. Saldo de la balanza comercial, en millones d
pesos*

Años	Exportaciones (1)	Importaciones (2)	Saldo (1)−(2
1934	644	344	300
1935	750	406	344
1936	775	464	311
1937	892	614	278
1938	838	494	344
1939	914	630	284
1940	960	669	291
1941	730	915	— 185
1942	990	753	237
1943	1 130	910	220
1944	1 047	1 895	— 848
1945	1 272	1 604	— 332
1946	1 915	2 631	— 716
1947	2 162	3 230	—1 068
1948	2 661	2 951	— 290
1949	3 623	3 527	96
1950	4 339	4 403	— 64
1951	5 447	6 773	—1 326
1952	5 126	6 394	—1 268
1953	4 836	6 985	—2 149
1954	6 936	8 926	—1 990
1955	9 484	11 046	—1 562
1956	10 671	13 395	—2 724
1957	8 729	14 439	—5 710
1958	8 846	14 107	—5 261
1959	9 007	12 583	3 576
1960	9 247	14 831	5 584
1961	9 997	14 233	4 236
1962	11 029	14 288	3 259
1963	11 504	15 496	3 992
1964	12 492	18 662	6 170
1965	13 610	19 495	5 885
1966	14 535	20 065	5 530
1967	13 798	21 823	8 025
1968	14 759	24 501	9 742
1969	17 312	25 975	8 663
1970	17 162	30 760	13 598
1971	18 431	30 091	11 660
1972	22 671	36 710	14 039

FUENTE: Para los años de 1934 a 1971, *Anuario estadísti
de comercio exterior de los Estados Unidos Mexicanos,* Dir
ción General de Estadística, 1971, pp. 759 y 779 y para el a
de 1972, *Informe del Banco de México, S. A.,* 1973.

...... v.... por turnos de actividad, a precios de 1960. Variaciones en % en relación con el año anterior

Años	PIB	Agricultura	Ganadería	Silvicultura	Pesca	Minería	Petróleo, coke	Manufacturas	Construcción	Electricidad
1964	11.7	10.3	3.1	0.0	— 2.4	2.2	9.0	17.4	16.9	16.5
1965	6.5	6.3	4.2	3.7	— 7.9	— 2.1	5.0	9.5	— 1.5	9.5
1966	6.9	1.5	2.2	— 0.7	11.2	2.8	5.0	9.4	14.4	14.0
1967	6.3	— 0.2	8.6	5.6	11.7	3.8	14.2	6.8	13.0	11.9
1968	8.1	1.6	6.7	2.3	—11.0	2.2	8.6	10.1	7.4	19.7
1969	6.3	— 1.7	5.9	9.1	— 5.3	4.8	4.7	8.1	9.4	13.8
1970	7.7	5.5	5.7	2.9	12.4	1.5	9.9	9.2	4.6	11.0
1971	3.7	2.9	3.9	— 5.6	9.5	1.0	1.7	4.2	1.1	8.0
1972	6.3	— 2.6	5.2	0.5	10.1	— 1.0	6.1	7.6	13.0	8.5
Promedios	7.0	2.6	5.0	1.9	3.1	1.6	7.1	9.1	8.7	12.5

CUADRO V. (Continuación)

Años	Transportes y comunicaciones	Comercio	Gobierno	Otros servicios	Actividades primarias	Industrias	Servicios
1964	7.1	13.4	10.4	6.6	2.7	12.4	9.3
1965	3.0	6.5	6.6	6.2	1.5	4.0	5.5
1966	8.3	7.4	7.7	5.4	3.5	9.1	7.2
1967	4.9	5.5	8.0	5.6	6.4	9.9	6.0
1968	10.8	8.5	9.6	6.1	0.0	9.6	8.7
1969	7.4	7.0	3.3	6.3	2.0	8.1	6.0
1970	7.9	8.5	5.3	6.6	6.6	7.2	7.0
1971	7.0	2.6	7.2	4.8	2.6	3.2	5.4
1972	...	...	...	...	3.3	6.8	...
Promedios	7.0	7.4	7.2	5.9	3.1	7.8	6.8

FUENTE: *Anuario Estadístico Compendiado 1970*, DGE, cuadro 16.5, p. 372. 1971 y 1972: datos de la CTM, Informe de 1972.

CUADRO VI. *Desequilibrio estructural de la economía mexicana (en porcentajes)*

Actividad	1910 Ocup.	PNB	1921 Ocup.	PNB	1930 Ocup.	PNB	1940 Ocup.	PNB
Primaria	71.9	27.4	75.2	25.3	67.7	19.7	63.3	20.5
Industrial	13.0	20.0	13.0	21.5	13.9	25.4	15.6	24.9
Servicios	15.1	52.6	11.8	53.2	18.4	59.9	21.1	54.6

Actividad	1950 Ocup.	PNB	1960 Ocup.	PNB	1965 Ocup.	PNB	1970 Ocup.	PNB
Primaria	58.3	23.8	52.8	23.0	51.1	17.6	39.5	11.6
Industrial	16.0	32.5	16.7	36.1	21.2	35.7	22.9	34.3
Servicios	25.7	43.7	30.5	40.9	27.7	46.7	31.8	54.1

FUENTE: Para las cifras de ocupación y PNB de 1910 a 1960, *50 años de Revolución mexicana en cifras*, Nacional Financiera, S. A., México, 1963, pp. 29 y 34. Para 1965, las cifras de ocupación, *La economía mexicana en cifras*, Nacional Financiera, S. A., México, 1966, p. 46. Y para las cifras del PNB, 1965, Banco Nacional de Comercio Exterior, S. A., *México, 1966: hechos, cifras, tendencias*, p. 60. Para el año de 1970, las cifras del PNB son de *La economía mexicana en cifras, 1970*, Nacional Financiera, S. A., cuadro 2.6, pp. 29-30, y las de ocupación, *Anuario Estadístico Compendiado, 1970*, Dirección General de Estadística, cuadro 2.11, p. 29.

CUADRO VII. *Coeficientes de desequilibrio estructural de la economía mexicana*

Actividad	1910	1921	1930	1940
Primaria	0.38	0.33	0.29	0.32
Industrial	1.53	1.65	1.82	1.59
Servicios	3.48	4.50	3.25	2.58

Actividad	1950	1960	1965	1970
Primaria	0.40	0.43	0.34	0.29
Industrial	2.03	2.16	1.68	1.50
Servicios	1.70	1.34	1.68	1.70

FUENTE: Elaborado con cifras del cuadro VI.

CUADRO VIII. *Desequilibrio estructural*

Sector	Ocupación %	Ingreso %	Coeficiente de desequilibrio
México-1970			
Actividades primarias	39.5	11.6	0.29
Actividades industriales	22.9	34.2	1.50
Estados Unidos-1970			
Actividades primarias	5.0	3.1	0.62
Actividades industriales	27.7	29.7	1.07

FUENTE: Para México, cifras de los cuadros VI y VII, y para Estados Unidos, *Statistical Abstract*, 1970, pp. 213, 218 y 317.

CUADRO IX. *Municipios de la República con población de 100 000 y más habitantes (1960-70)*

| Ciudad y Estado | Población en millares de habitantes | | Cambio | |
	1960	1970	Absoluto 1960-1970	Porciento 1960-1970
Distrito Federal	4 870.9	6 874.2	2 003.3	41.1
Ciudad de México, D. F.	2 832.1	3 025.6	193.5	6.8
Gustavo A. Madero, D. F.	579.2	1 183.0	603.8	104.2
Azcapotzalco, D. F.	370.7	545.5	174.8	47.1
Ixtapalapa, D. F.	254.4	533.6	279.2	109.7
Ixtacalco, D. F.	198.9	474.7	275.8	138.7
Obregón, D. F.	220.0	466.5	246.5	112.0
Coyoacán, D. F.	169.8	338.5	168.7	99.3
Netzahualcóyotl, Edo. de Méx.	—	571.0	—	—
Tlalnepantla, Edo. de Méx.	105.4	373.7	268.3	254.4
Naucalpan, Edo. de Méx.	85.8	373.6	387.8	335.3
Ecatepec, Edo. de Méx.	40.8	220.9	180.1	441.4
	156.0	220.0	64.2	41.1

…		190.2	455.8	61.6
Monterrey, N. L.	601.1	830.3	229.2	38.1
Guadalupe, N. L.	38.2	153.5	115.3	301.4
Puebla, Pue.	332.8	521.9	189.1	56.8
Mexicali, B. C.	281.3	390.4	109.1	38.8
Tijuana, B. C. Nte.	165.7	335.1	169.4	102.3
Ensenada, B. C.	64.9	113.3	48.4	74.6
Ciudad Juárez, Chih.	277.0	436.1	159.1	57.4
Chihuahua, Chih.	186.1	363.8	177.7	95.5
León, Gto.	260.6	454.0	193.4	74.2
Torreón, Coah.	203.2	257.0	53.8	26.5
San Luis Potosí, S. L. P.	193.7	274.3	80.6	41.6
Mérida, Yuc.	190.6	253.9	63.3	33.2
Aguascalientes, Ags.	154.2	222.1	67.9	44.0
Veracruz, Ver.	153.7	242.4	88.7	57.7
Jalapa, Ver.	78.1	127.1	49.0	62.7
Morelia, Mich.	153.5	209.5	56.0	36.5
Tampico, Tamps.	124.9	196.1	71.2	57.1
Nuevo Laredo, Tamps.	96.0	151.0	55.0	57.1
Tepic, Nay.	73.6	111.3	37.7	51.3
Culiacán, Sin.	209.0	359.0	150.0	71.7
Mazatlán, Sin.	112.6	171.8	59.2	52.6
Guasave, Sin.	91.0	148.5	57.5	63.1
Ahome, Sin.	89.6	165.6	76.0	84.8

FUENTE: Dirección General de Estadística.

CUADRO X. Nivel de desarrollo y concentración urbana por zonas del país

Núm. de zonas	Nivel de desarrollo	% población del país	Cifras absolutas (millones de habitantes)	Proporción de la población urbana, 2 500 y más. 1960	% de la población económicamente activa en el sector primario. 1960	Incremento de la población de 1950 a 1960. %	Ingreso promedio por trabajador. 1960 (pesos)
9	muy elevado	21.6	7.55	94.3	6.2	67.2	913
13	elevado	8.9	3.10	74.9	38.7	59.7	761
12	medio, superior a la situación del país en su conjunto	8.9	3.10	57.9	48.6	37.1	648
16	medio, inferior a la situación del país en su conjunto	7.8	2.70	49.8	61.2	30.3	535
23	bajo	26.5	9.27	34.0	72.7	25.8	436
30	muy bajo	23.1	8.10	22.7	82.4	23.6	355
8	ínfimo	3.2	1.10	12.4	89.8	22.1	323

FUENTE: Elaborado con cifras del estudio: "Un análisis regional de México", Claudio Stern, Demografía y Economía, El Colegio de México, núm. 1, 1967, pp. 92-111.

CUADRO. XI. *Crecimiento del producto nacional bruto per capita e inversión en %*
del PNB en varios países, 1950-1963

País	Años	Inversión en % del PNB (1)	% del crecimiento anual del PNB (2)	Rel. Cap./Prod. (1)/(2) (3)	Tasa de crecimiento de la población [1] (4)	Tasa de crecimiento del producto per capita (2)-(4)
Estados Unidos	1950-56	20.6	4.0	5.2	1.8	2.2
	1957-63	18.6	3.0	6.2	1.8	2.1
Canadá	1950-56	22.5	5.4	4.2	2.6	2.8
	1957-63	22.9	2.9	7.9	2.4	0.5
Japón	1950-56	19.8	8.7	2.3	1.4	7.3
	1957-63	30.3	9.0	3.4	0.9	8.1
Gran Bretaña	1950-56	14.2	2.6	5.5	0.4	2.2
	1957-63	17.2	2.7	6.4	0.7	2.0
Alemania	1950-56	20.3	9.0	2.3	1.3	7.7
	1957-63	23.4	5.6	4.2	1.0	4.6
Francia	1950-56	16.4	4.2	3.9	0.7	3.5
	1957-62	19.2	4.7	4.1	1.3	3.4
Italia	1950-56	18.5	5.7	3.2	0.8	4.9
	1957-63	22.2	6.3	3.5	0.7	5.6
Bélgica	1950-56	16.3	3.4	4.8	0.6	2.8
	1957-63	17.8	3.0	5.9	0.6	2.4
Países Bajos	1950-56	21.7	4.2	5.2	1.3	2.9
	1957-63	24.7	4.0	6.2	1.3	2.7
Suecia	1950-56	19.5	3.3	5.9	0.7	2.6
	1957-62	21.7	4.1	5.3	0.6	3.5
México	1950-56	13.9	6.2	2.2	3.2	3.0
	1957-62	13.4	5.0	2.7	3.5	1.5
	Proyección	20.0	7.4	2.7	3.5	3.9

[1] Los datos son para 1950-56 y 1957-62.

FUENTE: Ifigenia M. de Navarrete, *Los incentivos fiscales y el desarrollo económico de México*, UNAM, 1967, cuadro 3, p. 14.

CUADRO XII. *México: Inversiones extranjeras directas (miles de dólares)*

	Ingresos				Egresos				
Años	Total ingresos (1+2+3)	Nuevas inversiones (1)	Utilidades reinvertidas (2)	Cuentas entre Cías. (3)	Total egresos (4+7)	Utilidades netas (4) = (5+6)	Remitidas (5)	Reinvertidas (6)	Envíos por intereses, regalías y otros pagos (7)
1939	22 292	13 644	2 919	5 729	18 969	15 453	12 534	2 919	3 516
1940	9 298	9 529	...	— 231	19 705	15 380	23 405	...	4 325
1941	16 268	13 541	...	2 727	28 064	22 555	27 719	...	5 509
1942	34 439	16 019	3 972	14 448	32 806	26 499	22 527	3 972	6 307
1943	8 929	7 826	1 897	— 794	40 350	33 307	31 410	1 897	7 043
1944	39 911	21 113	3 198	15 600	33 965	27 687	24 489	3 198	6 278
1945	46 004	22 423	14 463	9 118	50 050	39 653	25 090	14 463	10 397
1946	11 467	8 384	16 962	—13 879	57 690	48 932	31 970	16 962	8 758
1947	37 303	16 335	1 781	19 187	71 425	59 472	57 691	1 781	11 953
1948	33 279	39 670	6 796	—13 187	63 731	61 354	54 558	6 796	2 377
1949	30 447	15 249	19 676	— 4 478	54 023	51 434	31 758	19 676	2 589
1950	72 383	38 010	18 453	15 920	66 031	57 881	39 428	18 453	8 150
1951	120 609	49 608	49 932	21 069	101 598	88 507	38 575	49 932	13 091
1952	68 172	36 514	37 033	— 5 375	107 635	83 418	46 385	37 033	24 217
1953	41 816	37 183	3 527	1 106	82 855	60 484	56 957	3 527	22 371
1954	93 159	77 786	12 826	2 547	75 305	50 953	38 127	12 826	24 352
1955	105 356	84 926	12 479	7 951	79 611	61 137	48 658	12 479	18 474
1956	126 385	83 325	29 142	13 918	120 113	83 594	54 452	29 142	36 519
1957	131 591	101 024	29 046	1 521	117 233	76 831	47 785	29 046	40 402
1958	100 267	62 833	26 045	11 389	122 592	73 214	47 169	26 045	49 378
1959	81 155	65 581	16 152	— 578	128 621	75 222	59 070	16 152	53 399
1960	78 428	62 466 [1]	10 570	5 392	141 566	82 736	72 166	10 570	58 830
1961	119 262	81 826	25 178	12 258	148 067	82 516	57 338	25 178	65 551
1962	126 483	74 871	36 190	15 422	159 344	92 629	56 439	36 190	66 715
1963	117 476	76 944	36 040	4 492	185 567	104 159	68 119	36 040	81 408
1964	161 933	95 060	50 221	16 652	236 082	140 172	89 951	50 221	95 910
1965	213 876	120 087	61 252	32 537	236 148	144 549	83 297	61 252	91 599
1966 p	186 091	97 428	69 486	19 177	250 017	152 411	82 925	69 486	97 616

[1] No incluye 116 498 000 dólares correspondientes a la desinversión extranjera, representada por la adquisición de empresas eléctricas.
p Cifras preliminares.
FUENTE: Nacional Financiera, S. A., *La economía mexicana en cifras*, México, 1965, cuadro 103, pp. 217-218, y Banco de México, S. A., *Informe Anual 1966*, cuadro 14, p. 74.

CUADRO XIII. *Inversiones extranjeras y depresiones*

Años de depresión	Crecimiento del PNB a precios de 1950 (% con relación al año anterior)	Tasa de desarrollo (%)	Excedente de importaciones (millones de dólares)	Variación de la reserva del B. de M. (millones de dólares)	Ingreso neto de inversiones extranjeras (millones de dólares)
1946	6.6	2.4	48	−118.8	−29.2
1947	1.2	0.4	220	−119.1	−32.3
1951	7.5	2.4	297	− 1.0	68.9
1952	4.0	1.3	203	2.9	− 2.4
1953	0.6	0.2	248	− 22.0	−37.5
1959	2.9	0.9	284	56.0	−31.3
1960	7.9	2.5	447	− 8.6	−52.5
1961	3.5	1.0	335	− 21.5	− 4.6

FUENTE: Elaborado con cifras de los cuadros I, III y XV.

CUADRO XIV. *Capacidad de endeudamiento de México*

Años	Exportaciones	Turismo *
1960	738.1	521.2
1961	803.5	556.7
1962	899.5	585.3
1963	935.9	656.4
1964	1 022.4	703.8
1965	1 114.0	782.1
1966	1 162.8	875.0
1967	1 103.8	962.7
1968	1 180.7	1 145.4
1969	1 385.0	1 289.0
1970	1 372.9	1 433.7
1971	1 474.5	1 583.2
1972	1 813.7	1 787.1

Años	Importa- ciones	Turismo *	Pago de intereses y utilidad
1960	1 186.4	261.6	190.5
1961	1 138.6	287.5	204.0
1962	1 143.0	310.1	237.0
1963	1 239.7	349.5	266.0
1964	1 493.0	376.8	324.0
1965	1 559.6	413.6	339.0
1966	1 605.2	478.8	296.7
1967	1 748.3	521.7	337.8
1968	1 960.1	643.8	426.4
1969	2 078.0	655.4	490.4
1970	2 460.8	754.7	583.1
1971	2 407.3	784.7	614.4
1972	2 936.8	889.4	677.2

FUENTE: Para las cifras de 1966 a 1972, *La economía mexicana en cifras, 1970*, Nacional Financiera, S. A., cuadro 7.1, pp. 281-284, y Banco de México, S. A., *Indicadores económicos*, vol. I, núm. 6, mayo de 1973, cuadro III-1, "Balanza de pagos de México", p. 30.
* El concepto turismo incluye las transacciones fronterizas.

(millones de dólares)

Afluencia neta de fondos extranjeros	Total (1)
194.4	1 453.7
406.0	1 766.2
228.0	1 712.8
359.0	1 951.3
711.0	2 457.2
201.0	2 097.1
213.2	2 251.0
346.0	2 412.5
379.0	2 705.1
692.9	3 366.9
460.0	3 266.6
499.7	3 557.4
690.6	4 291.4

Total (2)	(2)-(1)	(2)/(1) %
1 638.5	−184.8	113
1 630.1	136.1	92
1 690.1	22.7	99
1 855.2	96.1	95
2 193.8	273.4	90
2 312.2	−215.1	110
2 380.7	−129.7	106
2 607.8	−195.3	108
3 030.3	−325.2	112
3 223.8	143.1	96
3 798.6	−532.0	116
3 806.4	−249.0	107
4 503.4	−212.0	105

CUADRO XV. *Tendencia y fluctuación cíclica del ingreso real por habitante*
De 1929 a 1961, pesos de 1950. De 1962 a 1972, pesos de 1960

Años	Datos reales	Tendencia	Fluctuación cíclica
1929	597	478	124
1930	575	523	109
1931	553	568	97
1932	544	613	88
1933	614	658	93
1934	705	703	100
1935	786	748	105
1936	832	793	104
1937	813	838	97
1938	814	883	92
1939	913	928	98
1940	906	973	93
1941	994	1 018	97
1942	1 100	1 063	103
1943	1 115	1 108	100
1944	1 182	1 153	102
1945	1 242	1 198	103
1946	1 294	1 243	104
1947	1 280	1 288	99
1948	1 307	1 333	98
1949	1 331	1 378	96

1953	1 454	1 558	93
1954	1 559	1 603	97
1955	1 645	1 648	99
1956	1 700	1 693	100
1957	1 775	1 738	102
1958	1 816	1 783	101
1959	1 813	1 828	99
1960	1 899	1 873	101
1961	1 902	1 918	99
1962	4 415	4 513	98
1963	4 610	4 698	98
1964	4 977	4 883	102
1965	5 124	5 068	101
1966	5 297	5 253	101
1967	5 442	5 438	100
1968	5 689	5 623	101
1969	5 847	5 808	101
1970	6 053	5 993	101
1971	6 065	6 178	98
1972	6 307	6 363	99

NOTA: La tendencia de 1929 a 1961 se ajusta a la fórmula: $y = 1\,288 + 45\ x$ de la serie cronológica 1929-65 y la tendencia de 1962 a 1972 se ajusta a la fórmula: $y = 5\,438 + 185\ x$.

FUENTE: De 1929 a 1961, *La economía mexicana en cifras, 1966*, cuadro 10, p. 54, y de 1962 a 1972, *La economía mexicana en cifras, 1970*, cuadro 2.4, p. 22. Ambos libros de Nacional Financiera, S. A.

CUADRO XVI. *Saldos de la balanza de pagos o variación de la reserva del Banco de México (millones de dólares)*

Años	Variación de la reserva	Años	Variación de la reserva
1943	147.9	1958	— 77.3
1944	54.2	1959	56.0
1945	92.7	1960	— 8.6
1946	—118.8	1961	— 21.5
1947	—119.1	1962	16.9
1948	— 61.9	1963	109.7
1949 [1]	29.3	1964	31.6
1950	172.1	1965	— 20.9
1951	— 1.0	1966	6.0
1952	2.9	1967	39.7
1953	— 22.0	1968	49.0
1954	— 35.1	1969	47.9
1955 [2]	202.8	1970	102.1
1956	61.2	1971	200.0
1957	— 13.6	1972	264.7

[1] Se considera con la variación de la reserva del sistema bancario también el atesoramiento.

[2] Cifras de las variaciones de activos netos a corto plazo del Banco de México, S. A. FUENTE: Banco de México S. A. informes anuales de 1943 a 1967; para los años de 1968

CUADRO XVII. *Inversión en México, pública, privada y total, y porcientos del producto nacional bruto (millones de pesos)*

Años	Inversión pública (1)	% del total	Inversión privada (2)	% del total	Inversión total (3)	PNB *a precios corrientes.* Miles de millones de pesos (4)	% (1) (4)	% (2) (4)	% (3) (4)
1939	248	38.3	401	61.7	649	7.5	3.30	5.35	8.65
1940	316	40.9	457	59.1	773	7.9	4.00	5.78	9.78
1941	362	37.3	608	62.7	970	8.8	4.11	6.91	11.02
1942	481	47.9	524	52.1	1 005	10.3	4.67	5.09	9.76
1943	618	48.4	659	51.6	1 277	12.6	4.90	5.23	10.13
1944	714	41.3	1 016	58.7	1 730	18.2	3.92	5.58	9.50
1945	928	40.8	1 348	59.2	2 276	19.9	4.67	6.77	11.44
1946	1 105	33.9	2 156	66.1	3 261	26.7	4.14	8.07	12.21
1947	1 378	33.6	2 726	66.4	4 104	29.8	4.62	9.15	13.77
1948	1 635	35.9	2 917	64.1	4 552	31.9	5.13	9.14	14.27
1949	2 030	39.7	3 087	60.3	5 117	35.2	5.77	8.77	14.54
1950	2 643	44.5	3 294	55.5	5 937	40.6	6.51	8.11	14.62
1951	3 027	43.7	3 900	56.3	6 927	52.3	5.78	7.46	13.24
1952	3 500	42.5	4 732	57.5	8 232	58.6	5.98	8.07	14.05
1953	3 269	41.6	4 600	58.4	7 869	58.4	5.59	7.88	13.47
1954	4 338	44.6	5 400	55.4	9 738	71.5	6.07	7.55	13.62
1955	4 660	38.1	7 600	61.9	12 260	87.3	5.34	8.70	14.04
1956	4 932	35.2	9 060	64.8	13 992	99.3	4.97	9.12	14.09
1957	5 946	37.0	10 124	63.0	16 070	114.2	5.21	8.86	14.07
1958	6 516	37.7	10 770	62.3	17 286	127.2	5.12	8.47	13.59
1959	6 873	38.6	10 944	61.4	17 817	136.2	5.05	8.03	13.08
1960	8 734	37.7	14 458	62.3	23 192	154.1	5.67	9.38	15.05
1961	10 460	44.1	13 284	55.9	23 744	163.8	6.38	8.11	14.49
1962	10 823	45.9	12 740	54.1	23 563	177.5	6.09	7.18	13.27
1963	13 821	49.9	13 873	50.1	27 694	192.2	7.19	7.22	14.41
1964	17 436	49.9	17 905	50.1	35 341	224.6	7.76	7.97	15.73
1965	16 301	41.5	22 936	58.5	39 237	242.7	6.72	9.45	16.17
1966	21 386	42.4	29 048	57.6	50 434	272.1	7.86	10.68	18.54
1967	22 785	38.2	36 786	61.8	59 571	301.4	7.56	12.21	19.77
1968	25 359	38.6	40 326	61.4	65 685	334.3	7.59	12.06	19.65
1969	28 588	39.4	43 912	70.6	72 500	369.6	7.73	11.88	19.61
1970	31 270	38.6	49 830	61.4	81 100	402.1	7.77	12.39	20.16

FUENTE: Elaborado con cifras de Nacional Financiera, S. A., *La economía mexicana en cifras*, México, D. F., 1966, cuadro 10, p. 53 y cuadro 11, p. 54, y *La economía mexicana en cifras, 1970*.

CUADRO XVIII. *Ingreso neto por turismo*

Años	Ingresos			Egresos					Diferencia ingreso neto
	Turismo (1)	Transacciones fronterizas (3)	Total	Turismo (2)	%(2)/(1)	Transacciones fronterizas (4)	Total		
1950	110.9	121.9	232.8	9.3	8	76.5	85.8		147.0
1951	110.9	148.3	259.2	12.5		88.4	100.9		158.3
1952	114.9	163.0	277.9	14.2		101.6	115.8		162.1
1953	108.8	201.8	310.6	16.7		128.2	144.9		165.7
1954	85.7	246.7	332.4	15.4		162.2	177.6		154.8
1955	118.1	261.7	379.8	16.7		151.2	167.9		211.9
1956	133.6	277.9	411.5	21.8		171.8	193.6		217.9
1957	128.8	313.3	442.1	22.9		192.6	215.5		226.6

	...1	...0	495.1	30.3		220.5	251.0	248.1
1960	155.3	366.0	521.3	40.5	26	221.0	261.5	259.8
1961	164.0	392.7	556.7	45.5		242.0	287.5	269.2
1962	178.6	406.7	585.3	65.5		244.6	310.1	275.2
1963	210.6	445.9	656.5	84.3		265.2	349.5	307.0
1964	240.6	463.3	703.9	100.2		276.6	376.8	327.1
1965	274.2	499.5	773.7	119.1	43	295.2	414.3	359.4
1966	328.4	546.6	875.0	136.0		342.8	478.8	396.2
1967	363.1	599.6	962.7	162.6		359.1	521.7	441.0
1968	431.9	713.5	1 145.4	193.4		450.4	643.8	501.6
1969	527.8	761.2	1 289.0	153.9	29	501.5	655.4	633.6
1970	554.8	878.9	1 433.7	169.7	31	585.0	754.7	679.0
1971	616.3	966.9	1 583.2	172.2	28	612.5	784.7	798.5
1972	726.0	1 061.1	1 787.1	220.4	30	669.0	889.4	897.7

FUENTE: *La economía mexicana en cifras, 1970*, de 1965 a 1967, cuadro 7.1, p. 283, y de 1968 a 1972, Banco de México, S. A., *Indicadores económicos*, mayo de 1973, cuadro III-1, p. 30.